Metamorfosis
Dios lo puede transformar para llegar a ser como Jesucristo

Roy Edgemon y Barry Sneed

LifeWay Press
Nashville, Tennessee

ISBN 0633039950
Dewey Decimal Classification: 248.84
Tema: Crecimiento espiritual

Este libro es el texto para el curso de estudio CG-0540
de el plan de estudio de Desarrollo Cristiano

A menos que se indique lo contrario las citas son tomadas de la Santa Biblia versión
Reina-Valera 1960, propiedad de Sociedades Bíblicas Unidas
impresa por Brodman & Holman Publishers, Nashville, Tennessee. Usada con permiso.

Equipo de producción:
Editor: Oscar James Fernández
Editor Asociado: Pablo Urbay
Traductor: Raimundo Ericson
Corrector de estilo: Jorge Escobar
Diseño gráfico: Deezihn Graphic y Dale Royalty
Diseño de la cubierta: Linda Romans
Correctores de pruebas:
Norma Antillón, Juan Merlos y Cristobal Doña

Impreso en los Estados Unidos de América

LifeWay Press
127 Ninth Avenue North
Nashville, Tennessee 37234-0180

Reconocimientos

Los testimonios incluidos en este libro son reales y se refieren particularmente a la vida y el carácter de Jesucristo y a la manera en que Él transforma vidas. Desde su concepción, este libro ha demostrado ser un regalo muy especial de Dios. A través de sus páginas, cientos de personas obedientes a Dios y temerosas de Él hacen su aporte comunicando sabiduría. Dios también guió a toda una multitud de colaboradores a orar por cada verdad, a escribir cuidadosamente cada frase y a contribuir de maneras muy singulares en cada capítulo. Vaya a cada uno de ellos nuestra gratitud.

Quisiéramos también reconocer el dedicado esfuerzo de Roy Edgemon, Henry Webb, Bill Taylor, Louis Hanks, Mike Miller, David Francis, John Kramp y Ralph Hodge por su incansable compromiso volcado en la creación del documento de la transformación espiritual que es el pulso de este libro.

Vayan palabras de especial gratitud a Ralph Hodge que ayudó a pintar la visión para este libro; a Ivey Harrington que ayudó a hacer realidad esa visión; y a Sam House que fue una milla más y preparó la guía para el líder. Queremos reconocer también, con profunda gratitud, el esfuerzo de Henry Webb que, como un fiel pastor, nos guió en cada paso del camino con mano cariñosa y una voz llena de estímulo. Las contribuciones de estas personas muy especiales nacieron del deseo de ellos de ver a Dios transformando a personas a la semejanza de nuestro Señor.

Al ver diariamente vidas transformadas por Dios, nos detenemos con frecuencia para dar gracias a nuestro Padre Celestial, cuyo amor por nosotros cobró vida en la persona de su Hijo. Es a través de Él que nosotros podemos llegar a conocer el corazón de Dios y es al ser transformados a la semejanza de Jesús que nuestras vidas encuentran un verdadero significado y propósito.

Contenido

"Por tanto, nosotros todos, mirando

a cara descubierta como en un espejo la

gloria del Señor, somos transformados

de gloria en gloria en la misma imagen,

como por el Espíritu del Señor".

II Corintios 3.18

"Así que, hermanos, os ruego por las misericordias de Dios, que presentéis vuestros cuerpos en sacrificio vivo, santo, agradable a Dios, que es vuestro culto racional.

No os conforméis a este siglo, sino transformaos por medio de la renovación de vuestro entendimiento, para que comprobéis cuál sea la buena voluntad de Dios, agradable y perfecta".

Romanos 12.1-2

Dedicatoria

A mi esposa Anna Marie, mi mejor amiga y compañera en el ministerio durante casi 50 años. Ha sido un gozo inmenso caminar juntos, buscando conocer al Señor.

—Roy Edgemon

Dedico este libro a mi esposa Cindy. Gracias a su carácter modelado por Cristo y a su increíble amor por mí, puedo entender mejor lo que es la transformación espiritual. Es mi mejor amiga y mi bien más preciado en el ministerio y en la vida

—Barry Sneed

Comience aquí

Un joven soldado, proveniente de una familia de pescadores de la ribera del Lago Pontchartrain, se refirió en estos términos a la vida de su padre: "Mi padre era un cristiano. No importaba cuán duro pudiera ser sostener la familia con la pesca, nunca dejaba de darle el crédito a Dios por cualquier cosa buena que recibiera y tenía la plena certidumbre de fe, que Dios proveería para nosotros cuando las cosas fueran difíciles. Durante mi adolescencia, yo no prestaba demasiada atención a sus esfuerzos por llevarme a la fe en Cristo. Después que papá murió, asistí a la iglesia y oí al pastor describir a Jesús. Me quedé sorprendido y me di cuenta que ya había conocido a alguien así: mi papá". [1]

Conocer a "papá" era como conocer a Jesús. A diferencia de algunos cristianos, el viejo pescador supo lo que Dios quería que hiciese con su vida. Tomó como guía, la verdad proclamada en Juan 14.6-7: *"Yo soy el camino, y la verdad, y la vida; nadie viene al Padre, sino por mí. Si me conocieseis, también a mi Padre conoceríais; y desde ahora le conocéis, y le habéis visto".* Con un corazón arrepentido y creyendo con la fe de un niño que Dios tenía poder para cambiarlo, él respondió humildemente al llamado de Dios: consagró su vida a conocer a Jesús.

A través del poder transformador de Dios, el pescador llegó a ser como Jesús y, al hacerlo, llegó al corazón mismo de Dios...

Cuando sus hijos, su esposa o esposo, sus amigos o alguien desconocido se relacionan con usted, ¿están ellos en la presencia de Jesús? ¿Sienten que usted los acerca a Él? ¿Los lleva a conocer el corazón de Él? Si llegaran a cruzarse contigo en la calle y quisieran conocer a Jesús, ¿pudieran conocerlo por conocerte a ti? La pregunta que ha confundido a algunos cristianos:¿Qué quiere Dios que yo haga con mi vida, ahora que me he arrepentido de mis pecados y he confiado en Él?", ya tiene respuesta. Usted fue puesto en esta tierra para ser como Jesús, a fin de que otros lo conozcan a Él. Toda otra meta u objetivo que se proponga, debe surgir de este propósito.

Es triste decirlo, pero la iglesia a menudo no entiende esta verdad. A muchos cristianos se les empuja a participar en las actividades y ministerios de la iglesia, sin que antes se haya operado en ellos esa vital transformación interna que convierte a toda expresión externa de fe, en el fruto natural de un profundo deseo de glorificar a Dios. Es hora de ir más allá de los aplausos y de las actividades externas, al corazón mismo del asunto. Y eso requiere que, con corazón arrepentido, confíe en Dios para que Él cambie de una manera total, lo que usted nunca podría cambiar por su cuenta. La transformación espiritual no surge de sus propios esfuerzos personales.

La transformación espiritual es la obra de Dios de cambiar a un creyente. Dios lo hace semejante a Cristo al crear una nueva identidad en Él. El Dios verdadero hace posible con su poder una relación de amor, confianza y obediencia a Dios para toda la vida.

Para decirlo de una manera más simple, Jesús es el Camino a una vida transformada. Cuando Jesús comienza a manifestar su vida a través de usted, lo cambia todo, incluyendo su concepto de las personas con quienes se relaciona. Dios usará su corazón transformado, para cambiar permanentemente a sus hijos, su cónyuge, sus amigos y hasta a los desconocidos con quien se cruce por la calle. Así como usó al viejo pescador, lo usará a usted para señalar el camino a su Hijo, para que cuando otros piensen en usted, piensen en Cristo.

Eso es lo que sucede cuando usted conoce a Cristo...

Semana 1
El corazón de su fe

Fabián entró a su primera reunión del grupo de Alcohólicos Anónimos. Ocupando todo el ancho del frente del salón había un cartel que decía: *"Si no fuera por la gracia de Dios..."* Inmediatamente le preguntó al que estaba sentado junto a él qué significaban esas palabras. "Eso depende de tu punto de vista, hijo", le dijo. "Alguien que nunca ha estado en nuestra condición, mira ese cartel y nos ve a nosotros sentados aquí, y lo completa: *'Si no fuera por la gracia de Dios, yo sería uno de ellos'*". Esa explicación, me hizo pensar que Dios daba gracia a algunas personas y se la negaba a otros. Pero un día, mientras leía la Biblia, descubrí cómo Jesús se interesaba por aquellas personas a las cuales los demás evitaban: las personas como usted o como yo. Llegué a conocer a Jesús de manera personal, así como uno conoce a un amigo muy cercano. Ahora, yo leo ese cartel así: *'Por la gracia de Dios, Jesús se hizo como uno de nosotros'*. Esa perspectiva lo cambia todo".[2]

Piense un momento en eso: Jesús se hizo como uno de nosotros. Así indignos y despreciables como somos, Dios hizo el supremo sacrificio y vino a nosotros en la persona de Jesús, de manera que pudiésemos conocerlo. No nos despreció; Dios se hizo como uno de nosotros. ¡Qué verdad sorprendente! Eso quiere decir que conocer a Jesús es conocer el corazón de Dios.

¿No es eso lo que usted anhela? ¿No es eso lo que su espíritu anhela? Conocer el corazón de Dios. Es probable que usted haya tratado de llenar a su manera esa profunda necesidad. (Y en ese caso no sería el primero). Los israelitas también trataron de crear una relación con Dios a su manera. Pero fracasaron dolorosamente: *"Esperamos luz, y he aquí tinieblas; resplandores, y andamos en oscuridad. Palpamos la pared como ciegos, y andamos a tientas como sin ojos"* (Is 59.9b-10a).

Quizás también sienta, a menudo, como si estuviera andando a tientas buscando el camino hacia Dios. Pero no hace falta que sea de esa manera. La realidad, simple y sencilla, es que usted llega a conocer a Dios, únicamente, en la medida en que establece una relación personal con su Hijo Jesucristo. Buscar en cualquier otra dirección, no es otra cosa que limitar lo que significa conocer a Dios. Jesús es el único camino a una relación con Dios. Solo es Jesús quien puede quitar el inmenso obstáculo que le impide acercarse a Dios. Ese obstáculo es su pecado.

Toda barrera entre usted y la posibilidad de conocer a Dios ha sido quitada.

UN VISTAZO A LA SEMANA 1

Día 1:
El corazón de Dios

Día 2:
¿Lo sabía usted?

Día 3:
Su milagro personal

Día 4:
Su nuevo ADN espiritual

Día 5:
Su nueva visión

Deténgase ahora y formúlese esta pregunta: ¿He llegado al punto en mi vida, en que entiendo que Jesús es el único camino para quitar la barrera de pecado que hay entre Dios y yo?

En Romanos 3.23, la Biblia dice claramente: *"Todos pecaron, y están destituidos de la gloria de Dios"*. La palabra pecado equivale a decir errar el blanco. Se trata del fracaso de una persona en vivir la vida que Dios planificó para ella. El pecado significa una barrera infranqueable entre usted y Dios.

Y el precio de ese pecado es alto. La Biblia dice: *"Porque la paga del pecado es muerte, mas la dádiva de Dios es vida eterna en Cristo Jesús Señor nuestro"* (Ro 6.23). Si usted vive sin Dios en esta vida, pagará el precio terrible de una eternidad separado de Él, porque Dios no puede permitir que personas rebeldes y pecadoras entren al cielo, la morada eterna donde Él vive en perfecta armonía con los suyos.

Pero el amor de Dios por usted es tan grande (a pesar de su rebeldía contra Él), que quiere quitar el pecado que le separa de Él. No obstante hay una realidad que sigue firme y es que a causa de la justicia y santidad de Dios, usted (o algún otro que sea aceptable a Dios) debe pagar la culpa de su pecado. De manera que Dios hizo el sacrificio supremo. Envió a su único Hijo, Jesús, puro y sin pecado para morir por los pecados de usted como un cordero para el sacrificio. Romanos 5.8 leemos: *"Mas Dios muestra su amor para con nosotros, en que siendo aún pecadores, Cristo murió por nosotros"*.

La muerte de Jesús es la demostración más grande del amor de Dios por usted. Sin duda, cuando alguien muere en lugar de un ser querido es una muestra de amor muy grande. Pero Jesús murió por los que estaban en rebeldía, por los que no correspondían a su amor. La sobrecogedora belleza de este amor, queda expresada en Juan 3.16: *"Porque de tal manera amó Dios al mundo, que ha dado a su Hijo unigénito, para que todo aquel que en Él cree, no se pierda, mas tenga vida eterna"*.

¿Qué se hace para recibir este regalo de amor sacrificado y ser completamente liberado de sus pecados? La Biblia dice: *"Así que, arrepentíos y convertíos, para que sean borrados vuestros pecados; para que vengan de la presencia del Señor tiempos de refrigerio"* (Hch 3.19). La palabra arrepentirse significa girar y tomar otra dirección. Significa un cambio de mente y de vida, orientados ahora hacia Dios. Si usted está dispuesto o dispuesta a volverse a Dios, entonces Dios establecerá una relación con usted. La parte que a usted le toca es confesar su pecado y arrepentirse; la parte de Dios, es perdonarle y darle una nueva identidad. Eso quiere decir que la salvación no es algo que uno puede producir personalmente. Debe ser un acto de fe por gracia. *Gracia*: se refiere a la bondad y el amor de Dios manifestada en su disposición para perdonarle y salvarle. *Fe*: significa confiar de tal manera que se haga un compromiso. No se puede simplemente creer en Dios. Usted debe estar dispuesto o dispuesta a recibir el perdón de Dios y seguirlo a Él. La salvación es regalo de Dios. Efesios 2.8-9 lo explica de esta manera: *"Porque por gracia sois salvos por medio de la fe; y esto no de vosotros, pues es don de Dios; no por obras, para que nadie se gloríe"*.

Puede ser que en este momento, usted se encuentre cara a cara frente a la barrera que lo separa del Dios que tanto le ama. Si quiere que Dios quite esa barrera, Romanos 10.9 le señala el camino: *"Que si confesares con tu boca que Jesús es el Señor, y creyeres en tu corazón que Dios le levantó de los muertos, serás salvo"*. La palabra confesar significa reconocer delante de Dios que Jesús es Señor y Salvador: creer de todo corazón que Jesús murió en la cruz por usted y que se levantó de la tumba. Usted debe creer que Jesús vive y que cambiará su vida a través de una relación personal con Él, al seguir y obedecer sus enseñanzas.

La Biblia dice: *"Porque todo aquel que invocare el nombre del Señor, será salvo"* (Ro 10.13). Cualquiera puede pedir a Dios que le perdone su pecado y puede apartarse del pecado para seguir a Jesús. Si en este momento usted elige hacer eso, ore de una manera parecida a esta:

"Señor Jesús, yo sé que soy pecador y que necesito tu perdón. Creo que Jesús murió para perdonar mis pecados. Ahora me arrepiento de mis pecados y me aparto de ellos, te pido que me perdones y recibo tu ofrecimiento de vida eterna. Confío en ti como mi Salvador y te seguiré como mi Señor. Gracias por perdonar todos mis pecados. Gracias por la nueva vida que me das".

Si usted acaba de elevar esta oración de arrepentimiento, o lo ha hecho en algún otro momento de su vida, ¡alégrese! Toda barrera que alguna vez impidió una relación personal entre usted y Dios ha sido quitada. Piense en eso. ¡Ya no hay barreras! Debido a que Dios aceptó su corazón arrepentido, ya nada se interpone entre usted y Él. Absolutamente nada. Ahora usted puede conocer el corazón de Dios y a través del poder transformador del Espíritu Santo llegar a ser todo lo que Él quiere que usted sea (Ro 12.2; Jn 16.13-15; II Co 3.18).

¡De manera que alégrese! Esta semana aprenderá acerca de lo que es el aspecto central de su fe y de cómo Dios usará ese aspecto central para comenzar en usted la milagrosa transformación: el cambio de su carácter, de su naturaleza y de su perspectiva.

"Por tanto, nosotros todos, mirando a cara descubierta como en un espejo la gloria del Señor, somos transformados de gloria en gloria en la misma imagen, como por el Espíritu del Señor"
(2 Co 3.18).

Día uno: El corazón de Dios

En el proceso de entender la relación entre usted y Dios, hay cosas que sólo se pueden interpretar hablando acerca del corazón. Y aquí hay un contraste grande con la perspectiva del mundo, el cual solamente puede concebir las cosas haciendo una lista de logros externos. Pero la Biblia no titubea en hacer referencia al corazón cuando habla acerca de la identidad de una persona. En I Samuel 16.7b, podemos ver que la mirada de Dios está puesta en lo más profundo de nuestro ser, en lo que son nuestros valores, nuestro verdadero yo, con las máscaras quitadas. Y es allí dónde Él quiere establecer contacto con usted. Repita esta verdad: "Dios quiere tener conmigo una relación profundamente personal, de corazón a corazón, que sea plenamente satisfactoria".

¿Qué significa esto? Significa que usted es sumamente importante para Dios y que Él quiere ver un cambio en la manera en que usted se relaciona. A pesar de que una canción secular dice: "Dios nos mira a la distancia", déjeme decirle que Dios no está mirando su vida desde lejos. Él está exactamente allí donde usted está. Es un Dios íntimamente personal, que quiere estrecharle en sus brazos, acercarle a Él y descubrirle lo que hay en su corazón para que usted conozca, sin sombra alguna de duda, la profundidad de su amor, de su gracia y de su misericordia.

Esa clase de relación puede ser algo difícil de concebir en nuestra mente. Pero es posible que usted haya experimentado una relación personal con otro ser humano que le permite tener una idea de lo que significa conocer a alguien "de corazón". Escriba a continuación, el nombre de esa persona junto con aquellas características de ella que hicieron que usted tuviera confianza como para abrirle su corazón en una relación cercana.

_____
_____
_____
_____

Cuando uno verdaderamente se "conecta" con otra persona, es casi como si ambos compartieran el mismo corazón. Se genera un profundo "amor de corazón" que sincroniza el espíritu de los dos. Llegan a ser como uno solo. El dolor de esa persona es su propio dolor. La alegría de esa persona es su propia alegría. Es imposible separar sus corazones. Señale una ocasión en que experimentó dolor o alegría personal, porque la persona que usted mencionó antes experimentaba esos sentimientos.

_____

_____

_____

_____

_____

_____

_____

En la Carta a Filemón, podemos observar un claro ejemplo de amor de corazón. Pablo llegó a sentir un amor muy profundo por Onésimo, un esclavo que había escapado de la casa de un hombre llamado Filemón. Mientras estaba encarcelado, Onésimo le ministró y llegó a ser muy valioso para los sentimientos del apóstol. Pablo envió a Onésimo de vuelta a Filemón, precedido por una carta en la que le pedía a este que recibiera a Onésimo *"no ya como esclavo, sino como más que esclavo, como hermano amado, mayormente para mí, pero cuánto más para ti, tanto en la carne como en el Señor"* (Flm 16).

El pedido de Pablo se fundamentaba en que Onésimo ahora era creyente. El apóstol quiso dejar en claro que Filemón debía tratar a Onésimo de la misma forma en que lo trataría a él. Le dijo: *"Te lo vuelvo a enviar, a él que es mi propio corazón"* (Flm 12, RVA).

En este sentido, Dios le envió a Pedro, Santiago y Juan un mensaje similar, aunque más fuerte, en circunstancias en que todavía estaban tratando de entender la identidad de Jesús y la manera en que debían relacionarse con Él.

En cierta ocasión, cuando estaba junto con los tres en una montaña, Jesús se transfiguró delante de ellos. *"Resplandeció su rostro como el sol, y sus vestidos se hicieron blancos como la luz. Y he aquí les aparecieron Moisés y Elías, hablando con él"* (Mt 17.2b-3).

Pedro, cautivado por lo que estaba viendo, se ofreció para construir enramadas para Moisés, Elías y Jesús. Pero en ese preciso momento, Dios quiso dejar en claro para siempre quién es Jesús y lo que Él significa para Dios en relación con Moisés y Elías y dicho sea de paso, con toda la humanidad. Así como Pablo envió una carta a Filemón en papiro, Dios también envió un mensaje específico en la montaña: *"Una nube de luz los cubrió; y he aquí una voz desde la nube, que decía: Este es mi Hijo amado, en quien tengo complacencia; a él oíd"* (Mt 17.5).

¡Qué declaración fenomenal! Dios estaba declarando, en ese momento y para toda la eternidad, que Jesús es su propio corazón. Le estaba diciendo al mundo: "Respondan a Jesús como me responderían a mí".

A través de todo el
resto del libro, esta
sección de su guía de
estudio presentará
aspectos clave que
aprendió en lecciones
anteriores o
recordatorios de
compromisos
anteriores que usted
asumió. Estos puntos
de control tienen
como propósito
ayudarlo a permitir
que Dios haga de
esas verdades
aprendidas, una
parte activa de su
vida.

En Juan 14.6-7, Jesús disipa cualquier duda con respecto a su función y qué tiene que ver esa función con usted de forma personal: *"Yo soy el camino, y la verdad, y la vida; nadie viene al Padre, sino por mí. Si me conocieseis, también a mi Padre conoceríais; y desde ahora le conocéis, y le habéis visto"*.

El camino para una relación "corazón a corazón" con Dios, es a través de Jesús. No hay otro camino. En virtud del máximo sacrificio de Jesús, Dios acepta de usted su corazón arrepentido y quiere comenzar su obra de transformarle para que se asemeje a su Hijo. Ya no necesita seguir preguntándose: ¿Qué querrá Dios que yo haga con mi vida, ahora que me arrepentí de mis pecados y puse mi fe en Jesús? En su libro *Just Like Jesus* [Como Jesús], Max Lucado le da la respuesta: "Dios le ama tal cual usted es, pero se niega a dejarlo en esa condición. Quiere que usted sea como Jesús".[3]

No hay llamado más alto.

Esta es su vida: *Carrera de obstáculos*

Señale tres cosas en su vida actual que podrían obstaculizar el desarrollo de una relación "corazón a corazón" con Dios.

_____

_____

¿Cuáles son los pasos que, en el poder de Dios, usted dará para superar estos obstáculos?

_____

_____

_____

_____

_____

_____

Pida a un amigo cercano o a un familiar que le acompañe a orar pidiendo victoria sobre estas tres áreas.

Día dos: ¿Lo sabía usted?

En ese momento conmovedor en que María sostuvo en sus brazos, por primera vez, al bebé Jesús y besaba su piel tan suave, ¿sabía ella que estaba besando el rostro mismo de Dios? ¿Sabía ella que, por primera vez en la historia, un simple ser humano estaba cara a cara, corazón a corazón, con el Dios Todopoderoso?

De vez en cuando alguien escribe una canción que aporta algunas verdades para que el universo se apropie de ellas. En su tema "¿Lo sabías, María?", Mark Lowry y Buddy Green pintan un poderoso retrato de la identidad de Jesús.

> ¿Sabías, María, que tu bebé un día caminaría sobre el agua?
> ¿Sabías, María, que tu bebé un día salvaría a tus hijos y a tus hijas?
> ¿Sabías que tu bebé vino para hacerte una nueva persona?
> Este niño que de ti nació, pronto hará que tú vuelvas a nacer.
> ¿Lo sabías, María?
>
> ¿Sabías, María, que tu bebé un día, le devolvería la vista a uno que no ve?
> ¿Sabías, María, que tu bebé un día, calmaría la tormenta alzando su mano?
> ¿Sabías que tu hijo caminó por sendas que ángeles recorrieron?
> Cuando besaste a tu hijo, besaste el rostro de Dios.
> ¿Lo sabías, María?
>
> ¿Sabías, María, que tu bebé es Señor de toda la creación?
> ¿Sabías, María, que tu bebé un día gobernará sobre todas las naciones?
> ¿Sabías que tu hijo era el Cordero perfecto que descendió del cielo?
> Este niño dormido, que tienes en tus brazos, es el gran Yo Soy.[4]

¿Lo sabía usted? ¿Sabía que Jesús, en quien usted depositó su fe, es verdaderamente Dios, que se hizo visible para que por fin usted pudiera conocerlo (Jn 1.14)? ¿Sabía que Jesús es el "Señor de toda la creación" (Col 1.15-16). ¿Sabía que Jesús es el gran Yo Soy? ¿Que su nombre Emanuel significa "Dios con nosotros" (Mt 1.23)? Se establece toda una nueva serie de fronteras, cuando nuestro compromiso de seguir a Jesús lo fundamentamos en su identidad, en quién es Él. Su relación es una de "persona a persona" con el mismo Dios Todopoderoso, no con un simple

"Y aquel Verbo fue hecho carne, y habitó entre nosotros (y vimos su gloria, gloria como del unigénito del Padre), lleno de gracia y de verdad" (Jn 1.14).

"Él es la imagen del Dios invisible, el primogénito de toda creación. Porque en él fueron creadas todas las cosas, las que hay en los cielos y las que hay en la tierra, visibles e invisibles; sean tronos, sean dominios, sean principados, sean potestades; todo fue creado por medio de él y para él" (Col 1.15-16).

"He aquí, una virgen concebirá y dará a luz un hijo, y llamarás su nombre Emanuel, que traducido es: Dios con nosotros" (Mt 1.23).

representante o con un "peldaño de la escalera" que llevaría a encontrar a Dios.

Piense en eso. Conocer a Jesús, es conocer a Dios. En Juan 10.30, Jesús lo declara rotundamente: *"Yo y el Padre uno somos"*. Jesús es Dios en forma humana (Jn. 1.14). Es el mensaje de esperanza para el mundo perdido. Y para usted, es la clave de su transformación espiritual.

En su libro *The Way of Holiness* [El camino de la santidad], Stephen Olford determina con precisión el carácter central y absoluto de la persona de Jesús con esta afirmación: "El Señor Jesucristo es totalmente suficiente. ¡No es Jesús más algo; es Jesús y punto! ¡Todo está en Jesús y Jesús es todo!"[5] Olford resume lo que la Biblia entera dice: Jesús es el único camino.

En Colosenses 1.17-23a, Pablo deja sentado que Jesús es el centro de todas las cosas. Usa la palabra *imagen*, que significa muchísimo más de lo que alguno podría afirmar acerca de Jesús. Él no es la luz de una estrella lejana, que nos permite saber cómo es una estrella. No es el calor de una estufa, que nos advierte acerca de lo que podemos esperar si tocamos el artefacto. No es un simple representante de Dios, que nos muestra cómo es Dios, para el caso de encontrarnos cara a cara con Él alguna vez. Conocer a Jesús es estar cara a cara, corazón a corazón, con Dios mismo.

Fundamentar su vida en Jesús como el centro de todas las cosas, requiere de un reordenamiento a fondo de todas sus metas, sus ambiciones y de la manera en que usted se relaciona con los demás. Pablo resumió de esta manera su propia vida radicalmente transformada, que colocaba a Jesús como el centro, el núcleo de ella: *"Con Cristo estoy juntamente crucificado, y ya no vivo yo, mas vive Cristo en mí; y lo que ahora vivo en la carne, lo vivo en la fe del Hijo de Dios, el cual me amó y se entregó a sí mismo por mí"* (Gá. 2.20).

A esta altura de las cosas usted estará diciendo: "¡Yo no soy ningún apóstol Pablo! ¿Cómo puedo yo transformar mi vida para ser como Jesús?"

No puede. Pero Dios sí puede. Él es la clave de su transformación; no usted. Es el Espíritu de Dios, usando la Palabra de Dios quien le convence de su pecado y le convence de la necesidad de arrepentirse. Al arrepentirse, usted elige apartarse de una vida de pecado, pero es Dios el que lleva a cabo ese alejamiento, no usted. Él es el Autor y el Ejecutor de la transformación. El cambio que se operó en Pablo, de perseguidor a evangelista, es la prueba irrefutable de lo que puede suceder cuando una persona se aparta del pecado y deja que Dios le cambie la vida. Es que una vida transformada no se produce simplemente imitando las acciones de Jesús. Al igual que en el caso del viejo pescador que mencionamos al principio de este estudio y al igual que en el caso del apóstol Pablo, usted necesita pedirle humildemente a Dios que le cambie desde adentro hacia fuera, de manera que Cristo se forme en usted y que sus corazones latan al compás (Gá. 4.19). La verdadera transformación espiritual exige un corazón arrepentido, a la vez que un fiel entendimiento y total lealtad, para con la declaración de Jesús: "*Separados de mí nada podéis hacer*" (Jn 15.5b). Pablo lo sabía. El viejo pescador lo sabía. ¿Lo sabe usted?

Deténgase aquí y pídale a Dios que deshaga todo concepto o creencia que pueda haber en usted, en cuanto a que la transformación espiritual es imposible. Ríndale su vida y pídale humildemente que le cambie desde adentro hacia fuera. Reconozca que no hay nada que usted pueda hacer para que este cambio se lleve a cabo. Todo lo que Dios pide de usted, es un corazón arrepentido, fiel. Él se encargará de todo lo demás. Él comenzará un milagro dentro de usted también. Después de todo... Él se dedica a los milagros.

Esta es su vida: *Una nueva perspectiva*

Para fundamentar su vida en Jesús como el centro de todas las cosas, es necesario un cambio radical. ¿Qué concepto tenía usted de Jesús anteriormente?

_____
_____
_____
_____

¿Cuáles áreas de su vida resultarán más afectadas por este cambio de perspectiva?

_____
_____
_____
_____
_____

"Hijitos míos, por quienes vuelvo a sufrir dolores de parto, hasta que Cristo sea formado en vosotros" (Gá 4.19).

LO PRINCIPAL

El Señor Jesús es totalmente suficiente. Es Jesús. Punto.

PUNTO DE CONTROL

¿Qué le asusta cuando se trata de conocer a una persona nueva?

_____
_____

¿Qué le asusta cuando se trata de conocer a Dios más íntimamente?

_____
_____

Pídale a Dios que obre en su vida para disipar esos temores.

Día tres: Su milagro personal

Jim Sloan es un milagro andante. Sus compañeros de trabajo están sorprendidos de que trate a todos con respeto y amabilidad. ¿Por qué el asombro? Esta es la segunda vez que pasa por la planta de producción donde trabaja. La vez anterior fue muy diferente. Aquella oportunidad estuvo marcada por su falta de respeto y su flagrante abuso de las normas de la empresa y de las personas mismas.

Pero la historia comienza unos cuántos años antes, cuando Jim se vio envuelto en la muerte accidental de un compañero de la universidad; una muerte sin sentido. Aunque nunca se le acusó de homicidio por la muerte de su amigo, Jim vivió torturado por un remordimiento atroz. El sentido de culpa era tal, que trató de ahogarlo en el alcohol y el maltrato a los demás. No solo abusaba de los demás en el trabajo, sino que era cruel con su esposa y sus hijos. Al fin, perdió su empleo y su familia.

Cierto día, cuando Jim se encontraba solo en la casa vacía que alguna vez fue su hogar, sonó el timbre. Al abrir la puerta, se encontró frente a una mujer cuyo rostro recordaba, pero no exactamente de dónde. Ella se identificó como la madre del joven que había muerto. La mujer pasó a explicar que su presencia allí se debía a su reciente experiencia de fe en Jesús. Jim escuchó atentamente, mientras ella le explicaba sobre el odio y el resentimiento con que había vivido durante muchos años, a causa de la muerte de su hijo. Pero como Dios le había perdonado todos sus pecados y había cambiado su corazón, ella venía a buscar el perdón de Jim por todo el odio que había sentido hacia él. También vino para perdonar a Jim por la parte que él tuvo en la muerte de su hijo.

Asombrado por el mensaje, Jim quiso saber más acerca de esa nueva fe y de la manera en que Jesús le dio la capacidad de perdonar. La mujer le dijo que Dios los amaba tanto, a ella y a Jim, que había enviado a Jesús, su Hijo sin pecado, a pagar a través de su muerte en la cruz el precio por los pecados de ellos. Al tomar conciencia de esa clase de amor y ante la evidencia de su poder en la vida de esa madre, Jim no pudo sino caer de rodillas. Por primera vez en su vida, Jim se sintió libre para ser lo que nunca había podido ser a causa de su pasado. Le pidió a Dios que lo perdonara por causar la muerte del hijo de esa mujer y por todas las otras cosas malas que había hecho. Jim depositó las ruinas de la primera mitad de su vida a los pies de la cruz y le pidió a Dios que le mostrara cómo vivir el resto de su vida para la gloria de Él.

Jim ya no era un hombre oprimido por la culpa y la ira. Era un hijo del Dios perdonador, un hombre que tenía un Señor, un hombre con un corazón nuevo: un corazón como el de Jesús. Y desde ese momento, a través del poder transformador del Espíritu Santo, Jim ya no fue el mismo. Día a día, Dios lo estaba cambiando de adentro hacia fuera (Jn. 14.15-17). [6]

Jim y esta madre no son los únicos ejemplos de personas que recibieron la libertad de ser lo que nunca pudieron ser antes de arrepentirse. En Juan 8.3-11, leemos de una mujer sorprendida en el acto mismo del adulterio, que fue traída delante de Jesús por los fariseos. ¡Qué indefensa y aterrorizada debe haberse sentido esta mujer, cuando una turba de hombres piadosos la arrastró hacia lo que ella daba por sentado que sería una muerte muy dolorosa!

Pero la respuesta de Jesús fue sorprendente. En lugar de condenarla, Jesús les dijo a los acusadores que tiraran la primera piedra, si es que ellos mismos estaban sin pecado. ¡Imagínese las cabezas gachas y los pasos cortos y lentos, de los que abandonaban su posición amenazante dentro de la turba, frente a esa declaración del Señor! Enojo y agresividad era lo que sobraba, pero levantar una piedra... nadie. Al fin, uno a uno, sus acusadores se marcharon. Ninguno era inocente. Ellos lo sabían muy bien. Y Jesús también lo sabía.

Cuando esa mujer se encontró sola delante de Jesús, ella también se encontró con una mirada perdonadora y quizá, por primera vez en su vida, abrazó la libertad de ser lo que por causa de su pasado nunca podría haber sido. La trajeron ante Jesús como reo. Pero ella se rindió a Él con un corazón contrito y quebrantado. En su asombrosa gracia, Jesús le dio su perdón y el poder para comenzar de nuevo. ¡Imagine cómo pudo haberse sentido esta mujer! ¿No la imagina corriendo hacia su casa con el corazón a punto de estallar? Lágrimas de gozo bañando su rostro. Libre al fin, para comenzar otra vez. Nunca pudiéramos exagerar lo que es el milagro de la sanidad espiritual.

Usted, también, es un milagro. Con el perdón de Jesús y un nuevo corazón como el de Él, usted puede por fin ser lo que nunca habría sido sin Él. Esa realidad de Cristo en usted ya ha comenzado a transformar su vida. El propósito para usted ahora, es ser la imagen de Cristo en un espejo. Pablo escribió varias veces acerca de la milagrosa transformación de su propia vida. Lo resume en Colosenses 1.27: *"A quienes Dios quiso dar a conocer las riquezas de la gloria de este misterio entre los gentiles; que es Cristo en vosotros, la esperanza de gloria"*.

El milagro personal producido en usted es una bendición inmerecida de Dios. Le hace libre para ser lo que nunca pudo ser antes que Dios le tocara: ser como Jesús, cuya principal razón para vivir era glorificar a Dios con cada paso que daba y cada vez que respiraba.

piedra contra ella. E inclinándose de nuevo hacia el suelo, siguió escribiendo en tierra. Pero ellos, al oír esto, acusados por su conciencia, salían uno a uno, comenzando desde los más viejos hasta los postreros; y quedó solo Jesús, y la mujer que estaba en medio. Enderezándose Jesús, y no viendo a nadie sino a la mujer, le dijo: Mujer, ¿dónde están los que te acusaban? ¿Ninguno te condenó? Ella dijo: Ninguno, Señor. Entonces Jesús le dijo: Ni yo te condeno; vete, y no peques más" (Jn 8.3-11).

Dios borró su pasado y le dio la libertad y el poder para ser todo lo que Él quiere que usted sea.

PUNTO DE CONTROL

¿Cuál es ese problema personal que en estos últimos tiempos usted ha tratado de resolver por su propia cuenta, y que hoy necesita traer delante de Jesús? Señale el problema, y entrégueselo a Dios en oración. Después, observe cómo Dios obra.

_____
_____
_____
_____
_____
_____
_____

En la lección de mañana, usted aprenderá de la magnitud del cambio que ya se ha operado en usted. Pero por ahora, deténgase aquí y dé gracias a Dios por perdonarle todos los pecados que usted ha cometido. Agradézcale porque Él le sanó espiritualmente. Agradézcale por darle la libertad y el poder para ser todo lo que Él quiere que usted sea. Usted verdaderamente es un milagro de amor y gracia.

Esta es su vida: _Ninguna piedra que arrojar_

Hizo falta un milagro de amor y de gracia para cambiarle a usted, de pecador perdido, a hijo o hija de Dios. ¿Lleva usted a otros este regalo del perdón, así como Jesús se lo trajo a usted? Piense en alguien para quien usted guarda algún rencor o alguien que usted percibe que tiene algo contra usted. Escriba a continuación el nombre de esa persona.

_____

¿Le arrojó usted piedras verbales o le ofreció perdón y gracia? Recuerde, ninguno de nosotros puede proclamarse inocente. Si usted le arrojó piedras a la persona que nombró arriba, pídale a Dios que le dé las fuerzas, en humildad, como para comunicarse con él/ella (personalmente, por carta o teléfono) y pedirle perdón. Aproveche la ocasión, como una oportunidad de explicar el milagro de amor y de gracia que le permite a usted dejar caer sus piedras y perdonar de la misma manera como Jesús le perdonó a usted. Registre los resultados de su contacto.

_____
_____
_____
_____
_____
_____

Día cuatro: Su nuevo ADN espiritual

El ADN (ácido desoxirribonucleico) de cada persona es diferente, excepto el de los hermanos gemelos. En el caso de ellos, su codificación interna los hace idénticos y como uno solo. Sus corazones mismos, hasta sus células, fueron creados como uno solo en la concepción; cada uno es la imagen del otro en el espejo, por dentro y por fuera.

Usted podrá no tener un gemelo, pero en el instante mismo en que usted se arrepintió de sus pecados y que Dios le aceptó como su hijo perdonado, usted nació de nuevo. Inmediatamente, Dios le dio sus derechos de nacimiento: un nuevo ADN espiritual (1 P 1.3b-4). ¿Y sabe una cosa? Su ADN espiritual coincide exactamente con el del Hijo de Dios, Jesucristo. Cuando Dios le hizo a usted su hijo o hija, le cambió totalmente (2 Co 5.17).

Deténgase un momento y rebobine el vídeo casete de sus recuerdos para volver a ese momento en que usted le pidió a Dios que le perdonara sus pecados y Él aceptó su corazón arrepentido. Describa dónde se encontraba.

_____

_____

Ahora, cierre sus ojos y sitúese en el lugar donde ocurrió. Quizá fue en su iglesia. Quizá fue junto a su cama. O en un salón de la Escuela Dominical. Dondequiera que haya sido, rescate ese momento. ¿Lo tiene? Ahora, vuelva algunos cuadros de la película más atrás, al instante *antes de que usted se arrepintiera y abrazara la salvación de Dios, antes de que* Él le aceptara como su hija o hijo perdonado. Congele la imagen allí. ¿Ve a esa persona? A través de la obra milagrosa de un Dios cuyo asombroso amor trasciende (y transforma), usted no es ahora el mismo o la misma que era en esa imagen mental.

Cuando usted pasó a ser un hijo de Dios se convirtió en una persona completamente nueva, con una nueva oportunidad de vida. De la misma manera en que Dios le da a un bebé recién nacido todos los códigos de ADN necesarios para desarrollarse y llegar a ser un adulto, a usted le dio inmediatamente el nuevo ADN espiritual que necesitaba para vivir una vida que lo glorifique a Él, es decir, todo lo que usted necesita para caminar con Dios y vivir una vida de amor, confianza y obediencia; tal como hizo Jesús. Como creyente renacido, usted recibió de Dios el ADN espiritual que necesita para llegar a la madurez espiritual. Así, al crecer, usted va llegando

DEL LIBRO

"... nos hizo renacer para una esperanza viva, por la resurrección de Jesucristo de los muertos, para una herencia incorruptible, incontaminada e inmarcesible, reservada en los cielos para vosotros" (1 P 1.3b-4).

"... si alguno está en Cristo, nueva criatura es; las cosas viejas pasaron; he aquí todas son hechas nuevas" (2 Co 5.17).

"... renunciar a su antigua manera de vivir y despojarse de lo que antes eran, [...] Deben renovarse espiritualmente en su manera de juzgar, y revestirse de la nueva naturaleza, creada a imagen de Dios y que se distingue por una vida recta y pura, basada en la verdad" (Ef 4.22-23, Versión Dios Habla Hoy).

a ser lo que ya es en Cristo. Quiere decir que, como hijo de Dios, usted ahora tiene un corazón como el de su Hijo Jesús.

Piense en eso. Usted ha recibido una segunda oportunidad de vida; una segunda oportunidad de cambiar el mundo. Y con el poder de Jesús, usted puede hacerlo. ¿Por qué? Porque usted está en Jesús y Jesús está en usted (Jn 14.20). Porque Él está en usted y usted en Él, puede hacer lo que Él hizo: llevar gloria a Dios con cada paso que da. Usted podrá tener el mismo cuerpo físico, pero ahora el Espíritu de Dios vive en usted. En Juan 3.5-6, Jesús lo explica de esta manera: *"Te aseguro que el que no nace de agua y del Espíritu, no puede entrar en el reino de Dios. Lo que nace de padres humanos, es humano; lo que nace del Espíritu, es espíritu"* (DHH). Debido a que ahora el Espíritu de Jesús vive en usted, usted tiene no sólo el llamado a glorificar a Dios en lo externo, sino la capacidad de glorificarle con cada paso que usted da, del mismo modo que Jesús lo hizo (Ef 4.22-23). Deténgase por un momento y haga memoria de los pasos anteriores en su camino espiritual.

Paso uno: Dios le cambió. Su antiguo yo fue transformado. *"De modo que si alguno está en Cristo, nueva criatura es; las cosas viejas pasaron; he aquí todas son hechas nuevas"* (II Co 5.17).

Paso dos: Dios le dio una nueva identidad espiritual en Cristo. Ahora usted tiene a Cristo en usted y usted está en Él (Jn 14.20). *"A quienes Dios quiso dar a conocer las riquezas de la gloria de este misterio entre los gentiles; que es Cristo en vosotros, la esperanza de gloria"* (Col 1.27).

Paso tres: Dios usará su vida para la gloria de Él. A través de la relación de corazón a corazón que usted tiene con Jesús, Dios le ha dado la capacidad de confiar en Él, amarlo y obedecerlo. El amor y el poder de Dios se revelarán a otros a través de su vida rendida. Otras personas verán a Jesús en usted. Y esto glorificará a Dios (Jn 13.31b; 17.26).

Como resultado de su nuevo nacimiento, usted es el hijo a quien Dios ama; puede sentirse totalmente seguro y amado; exactamente igual que su Hijo Jesús. No tema. Usted es amado o amada incondicionalmente. Jesús vivirá y expresará la vida de Él a través de su vida rendida. Y como consecuencia de esto, el mundo será un lugar mejor (Fil 1.6-7a, 8-11).

Esta es su vida: *Es tiempo de cambiar*

Señale a continuación algunas de las áreas de su vida que Dios está cambiando a través del Espíritu Santo que vive en usted.

_____

_____

_____

_____

_____

_____

_____

¿Cómo usará Dios esos cambios para gloria de Él?

_____

_____

_____

_____

_____

a fin de que seáis sinceros e irreprensibles para el día de Cristo, llenos de frutos de justicia que son por medio de Jesucristo, para gloria y alabanza de Dios" (Fil 1.6-7a, 8-11).

LO PRINCIPAL

Dios le cambió radicalmente, desde adentro; usted tiene todo lo que necesita para glorificar a Dios con su vida.

PUNTO DE CONTROL

Piense en una actividad que puede hacer hoy, que ayudará a otro a conocer su corazón. Escríbala a continuación. Después, llévela a cabo.

_____

_____

_____

_____

Día cinco: Su nueva visión

En la copia de una antigua carta, se lee el siguiente relato: El coliseo estaba repleto, la multitud, sedienta de sangre. Varios hombres y mujeres fueron empujados con violencia hacia el centro de la arena. Un guardia compasivo les susurró: "Los leones rara vez atacan a las personas que se mantienen muy juntas".

De pronto, cuatro leones hambrientos fueron liberados de sus jaulas y comenzaron a rodear a su presa. Los cristianos formaron un grupo aún más compacto. Pero en el momento en que un enorme león se acercaba por un costado, una joven mujer embarazada tropezó y cayó, separándose del grupo. El león inmediatamente saltó sobre ella y la arrastró, junto con su bebé sin nacer, a una muerte horrorosa.

Aun frente a este horror indescriptible, los cristianos que quedaron se arrodillaron cuidadosamente, elevaron sus rostros al cielo y comenzaron a cantar un himno de fe y esperanza, un himno que expresaba el mismo mensaje de uno que sería escrito y cantado siglos más tarde por otro cristiano que enfrentó el tormento terrenal: *"Oh Dios de mi alma, sé Tú mi visión, nada te aparte de mi corazón..."*

Cuando su canto llegó a oídos del general romano a cargo del espectáculo, se preguntó en voz alta: "¿Cómo es que estos cristianos pueden estar dentro del mismo abismo de la muerte y aún así cantar canciones de fe y esperanza?"

Un joven soldado, llamado Adriano, que sin saberlo el general y los demás en el coliseo, se había hecho cristiano mientras trabajaba en las mazmorras llenas de cristianos, le respondió serenamente: "Dicen, Señor, que es a causa de cosas que ellos ven y que otros no ven". [7]

El don de las cosas que no se ven. ¿Qué veían esos cristianos apretados uno contra el otro, que la multitud ávida de sangre no veía? Veían eternidad: la visión que está plantada en el corazón de cada cristiano, la visión que sostiene, la visión que marca la diferencia en este mundo; y veían la eternidad más allá. Aun cuando los ojos de los cristianos que se apretujaban uno contra el otro en el centro de ese coliseo veían muerte y tortura a su alrededor, sus corazones veían los propósitos eternos de Dios como más importantes que sus propias circunstancias y necesidades inmediatas. Su visión de eternidad les decía que aunque su suerte terrenal fuera la misma de la joven mujer embarazada, la muerte en el coliseo no marcaba el final. Tenían eternidad en sus corazones. Y al ver y oír expresada esa visión de eternidad, el corazón de piedra de un general romano se ablandó.

Deténgase por un momento. Cierre sus ojos. ¿Puede imaginarse estar en un mundo que ha perdido totalmente la razón, un mundo bajo el poder de un Hitler del nuevo milenio? ¿Qué haría si se encontrara frente a la muerte segura? ¿Cantaría una canción de fe y esperanza, como cantaron los cristianos en el coliseo?

"¡No! ¡No podría cantar!" diría usted. "¡Estaría paralizado por el terror; mudo!"

Sin duda, mientras los leones caminaban a su alrededor, los cristianos en el coliseo también tuvieron miedo. Pero piense en esto. Debido a que Jesús vive en usted, debido a que usted tiene su herencia espiritual, usted posee esa misma visión de eternidad que sostuvo a los primeros cristianos; aun en medio de indescriptible dolor y aflicción. Esa visión de eternidad es parte de su herencia en Cristo. No es posible separarse de ella; está entretejida en las fibras mismas de su existencia.

El apóstol Pablo explica con toda claridad el don de las cosas que no se ven, en II Corintios 4.16-18. Sus palabras señalan que aun cuando nuestra senda pueda estar llegando a su fin, la esperanza nunca llega a su fin. *The Message* lo parafrasea de esta manera: *"No nos rendimos... Hay muchísimo más de lo que se ve a simple vista"*. En Juan 14.19 Jesús presenta la visión de esta manera: *"Todavía un poco, y el mundo no me verá más; pero vosotros me veréis; porque yo vivo, vosotros también viviréis"*. Esta visión de eternidad permanece oculta para aquellos que viven su vida sin Jesús, porque su corazón no está en condiciones de percibirla.

Piense en alguien que usted conozca, cuya vida -aun en medio de intensa lucha- refleje esta vigorosa visión de eternidad; alguien que usted considera que, al igual que los cristianos del coliseo, aun estando frente a la muerte cantaría una canción. Escriba el nombre de esa persona junto con la característica de "coliseo" que tiene.

_____

_____

_____

Ahora haga una auto evaluación. ¿Cuáles son las cualidades que Dios puso en su vida, que muestran el perfil de la visión que usted tiene de la eternidad? Señálelas.

_____

_____

_____

_____

¿Todavía considera que no posee la clase de visión necesaria para poder mirar fijamente a la muerte "en la cara" y cantar como hicieron los cristianos del coliseo? Entonces, hágase estas preguntas: ¿Está usted totalmente satisfecho/a con los placeres y los logros terrenales? ¿Le resultan verdaderamente suficientes? ¿O tiene usted un anhelo casi imposible de precisar, un ansia profunda de que las cosas fueran diferentes, un sueño de ver reinar la justicia, una sed imposible de saciar, no importa cuánto se esfuerce? Ese anhelo, esa sed insaciable son la evidencia de la visión que Dios puso en su corazón. Son la prueba de que usted, también, tiene su visión de las cosas que no se ven.

Cuando usted nació de nuevo en Cristo, Dios le dio un atisbo de la perfección. Pero se trata apenas de un atisbo. Usted no puede ver el futuro, ni entender todo lo que Dios le tiene preparado para la eternidad. Pero en su corazón usted sabe que es allí donde pertenece y dónde, en última instancia, anhela estar. Usted fue creado o creada a la perfecta imagen de Él y nunca va a poder encontrar plena satisfacción en esta tierra, porque su sed es espiritual; usted tiene valor eterno y nada sino el Dios eterno y su perfecta ley pueden satisfacerle de verdad. Eclesiastés 3.11 lo expresa con mucha belleza: *"todo lo hizo hermoso en su tiempo; y ha puesto eternidad en el corazón de ellos, sin que alcance el hombre a entender la obra que ha hecho Dios desde el principio hasta el fin"*.

La visión de eternidad que Dios incorporó a su alma el día en que aceptó su corazón arrepentido, es la fe que le sostendrá hasta el fin, no importa qué características tome ese fin aquí en la tierra. Esa fe visionaria es la que brilló en la vida del profesor de seminario Oscar Thompson, aun mientras el cáncer devastaba su cuerpo. Cuando un amigo le preguntó cómo todavía podía sonreír en medio de sus dolores espantosos, Oscar respondió: "He aprendido que nuestras vidas están crucificadas entre dos ladrones: el ayer y el mañana. Por la gracia de Dios, no me rendiré a esos ladrones, sino que viviré el hoy: porque también he aprendido que Dios no da la gracia que ayuda a morir, cuando no es el día de morir". Con una visión que veía más allá de su dolor, Oscar Thompson continuó sonriendo y viviendo una vida que glorificaba a Dios, hasta el día en que el Padre lo llevó al hogar eterno.

Es la fe visionaria como la de Oscar Thompson, la que le permitirá caminar un día a la vez, glorificando a Dios. Esa clase de fe visionaria es lo que Dios usará para transformarle de manera que usted sea como Jesús. Es esa clase de fe la que moverá montañas en su vida. Es esa clase de fe la que acercará a otros a Jesús, a través de usted. Y cuando la vida trate de derribarle, es esa clase de fe, esa clase de visión, la que le permitirá alzar sus ojos; y cantar...

Oh Dios, de mi alma, sé tú mi visión,
Nada te aparte de mi corazón.
Noche y día pienso yo en ti,
Y tu presencia es luz para mí.

Sabiduría, sé tú de mi ser,
Quiero a tu lado mi senda correr;
Como tu hijo tenme, Señor,
Siempre morando en un mismo amor.

Sé mi escudo, mi espada en la lid,
Mi única gloria, mi dicha sin fin;
Del alma amparo, mi torreón;
A las alturas condúceme, Dios.

Riquezas vanas no anhelo, Señor,
Ni el vano halago de la adulación;
Tú eres mi herencia, tú mi porción,
Rey de los cielos, tesoro mejor. [8]

Esta es su vida: Vivir como un visionario

Describa un tiempo en su vida cuando su fe, la visión de eternidad que Dios le dio, le sostuvo a través de una gran prueba.

_____

_____

¿Cómo habría manejado la crisis, si no hubiese sido un cristiano?

_____

_____

Piense en alguien que usted conoce, que no es creyente, pero que está atravesando un período difícil en su vida. Escriba el nombre de esa persona.

_____

¿Qué puede hacer esta semana, que ayude a esa persona a ver la visión de lo eterno que usted tiene en su corazón, la visión que le ayuda a cantar cuando los leones rugen?

_____

_____

PUNTO DE CONTROL

Esta semana, en el Día cuatro, usted recibió el desafío de hacer algo que permitiera a otra persona conocer mejor su corazón. Describa lo que hizo, y los resultados de su esfuerzo.

_____

_____

_____

_____

_____

_____

_____

_____

_____

_____

_____

_____

_____

_____

_____

_____

Un momento con el Señor

Jesús nunca habló cosa alguna que no viniera de Dios. Entregó el mensaje de Dios con total autoridad. Preste atención a lo que dice Jesús, en Juan 12.47-50.

"Al que oye mis palabras, y no las guarda, yo no le juzgo; porque no he venido a juzgar al mundo, sino a salvar al mundo. El que me rechaza, y no recibe mis palabras, tiene quien le juzgue; la palabra que he hablado, ella le juzgará en el día postrero. Porque yo no he hablado por mi propia cuenta; el Padre que me envió, él me dio mandamiento de lo que he de decir, y de lo que he de hablar. Y sé que su mandamiento es vida eterna. Así pues, lo que yo hablo, lo hablo como el Padre me lo ha dicho".

Jesús dejó bien claro que sus palabras llevaban el máximo peso. Él habló y vivió con perfecta autoridad, porque Dios mismo estaba dirigiendo cada palabra que decía y cada acción que realizaba.

Hay un alto precio que pagar cuando uno hace caso omiso de la Voz de la Autoridad. En el Sermón del Monte, Jesús advirtió: *"Pero cualquiera que me oye estas palabras y no las hace, le comparé a un hombre insensato, que edificó su casa sobre la arena; y descendió lluvia, y vinieron ríos, y soplaron vientos, y dieron con ímpetu contra aquella casa; y cayó, y fue grande su ruina"* (Mt 7.26-27).

Jesús dejó bien claro que vivir por su Palabra es el fundamento principal de la vida. Construir una vida sobre cualquier otra religión, filosofía o enseñanza resultará en una "grande ruina". Las personas a quienes Jesús se dirigió cuando predicó el Sermón del Monte, reconocieron el poder de su influencia. *"La gente se admiraba de su doctrina; porque les enseñaba como quien tiene autoridad, y no como los escribas"* (Mt 7.28b-29).

No es de sorprenderse que Jesús afirmara: *"Yo soy el camino, y la verdad, y la vida; nadie viene al Padre, sino por mí"* (Jn 14.6). Jesús fue la voz de Dios en aquel entonces y es la voz de Dios ahora. ¿Está usted atento a lo que Él está diciendo?

Jesús habló con autoridad

"Y para terminar ..."

Al llegar al final del estudio de esta semana dedique algunos minutos a repasar las lecciones.

¿Qué es lo más importante que Dios le enseñó esta semana?

_____
_____
_____
_____

¿Cuál sería la acción más importante que Dios quisiera verle realizar, sobre la base del resultado del estudio de esta semana?

_____
_____
_____
_____

Dedique un tiempo a la oración. Agradezca a Dios por hablarle a través de su estudio y pídale que le ayude a llevar a la vida práctica lo que está aprendiendo.

Semana 2
Su corazón transformado

Michael Plant, un experimentado navegante, se propuso cruzar el Océano Atlántico en un yate de avanzado diseño y construcción. Este hombre de gran pericia en el mar, que en su vida había capeado más de un severo temporal, se encontró con una típica borrasca de verano. Algunos días después, un carguero portugués encontró la embarcación cerca de las Islas Azores, flotando invertida. El cuerpo de Michael Plant nunca se encontró.

EL misterio acerca de cómo pudo suceder, que un navegante tan experimentado no lograra sobrevivir a una tormenta mucho más benigna que las que en otras oportunidades había enfrentado, dejó perplejos a los investigadores. La magnífica embarcación de Plant había sido construida para capear temporales mucho más severos que aquel que enfrentó y sin embargo el barco se dio vuelta. Los investigadores pronto descubrieron la razón. Un contrapeso de quilla, de tres toneladas y media de peso, se había soltado durante la tormenta. Para mantener la estabilidad de un barco, es necesario tener más peso debajo de la línea de flotación que arriba de ella. Una vez perdido el equilibrio, el magnífico barco de Plant dio una vuelta de campana y él pereció. [9]

La importancia de tener mayor peso debajo de la línea de flotación que arriba, tiene aplicación a nuestra vida. Existe el peligro de prestar atención a las actividades externas de la vida espiritual, mientras descuidamos la transformación interna que resulta de una relación íntima con Dios. No me malinterprete. Jesús quiere realizar mucho a través de usted, para la gloria de Dios. Él quiere que participe en los ministerios de su iglesia, que tome parte activa en el cumplimiento de la Gran Comisión. Él quiere que usted sea una vasija segura; de otra manera, en mares tormentosos usted podría encontrarse flotando. Cuando se sienta atacado por las tentaciones, las circunstancias o las amenazas a su fe, estará en peligro, si para usted tienen mayor importancia las actividades espirituales externas que la relación íntima con Dios.

La semana pasada, usted centró su atención en el núcleo de su fe, Jesucristo y cómo esa milagrosa nueva identidad que usted tiene en Él, le otorga a usted el ADN de Cristo y una nueva visión para la eternidad, que el no creyente no posee. Esta semana, usted verá cómo Dios toma su corazón perdonado, cambiado para siempre y transforma su ser entero en uno que es capaz de resistir la prueba de cualquier tormenta, porque es la semejanza de Jesús mismo. Pero antes, echará una mirada a los extenuantes desvíos y rodeos, que muchos cristianos toman cuando intentan tomar la transformación en sus propias manos.

Existe el peligro de prestar atención a las actividades externas de la vida espiritual, mientras descuidamos la transformación interna del corazón que se produce como resultado de una relación íntima con Jesús

UN VISTAZO A LA SEMANA 2

Día 1:
Rodeos del corazón

Día 2:
Jesús, el que obra cambios

Día 3:
¿Qué tiene que ver el amor en esto?

Día 4:
Confíe y obedezca

Día 5:
La gloria se trasluce

Día uno: Rodeos del corazón

Cuando se ha estado fuera de casa, es maravillosa la calidez que a uno lo invade al cruzar nuevamente el umbral de la puerta. Vuelve a percibir todos esos aromas que le hacen saber que ya está en casa, seguro y rodeado del afecto de su familia.

Pensemos en usted. Cuando Jesús aceptó su corazón arrepentido, Él abrió la puerta de su propio corazón y le dijo: "Bienvenido a casa". Le invitó a pasar tiempo con Él para que usted lo pudiera conocer. Y eso era lo que usted verdaderamente anhelaba.

Pero pronto sonó el timbre, luego el teléfono, después vinieron los requerimientos personales y usted tuvo que salir apuradamente a la calle, a ocuparse de hacer las cosas que se supone que todos los cristianos deben hacer. Usted llegó a ser un cristiano o una cristiana diligente... con muchas cosas que hacer, personas que visitar, lugares a los cuales tiene que asistir... Pero en ese volar de aquí para allá, mientras la vida se escurre veloz, ¿no le parece a veces oír una suave voz interior que le dice: "Ven, quédate en casa un poco"? Esa voz, es nada más y nada menos que su amado corazón – el corazón de Jesús – que le llama a pasar tiempo con Él (Is 50.4-5). Pero parece que tenemos tan poco tiempo para hacer todo lo que se necesita hacer... De modo que usted pedalea con más fuerza, un poco más rápido, para poder cumplir con todas sus "metas espirituales"; aunque, para su sorpresa, hay una diferencia enorme entre el esfuerzo y los resultados. Usted está al borde del agotamiento. "¿Pero qué está pasando?" se pregunta. "¿Acaso no tendría que sentir mis fuerzas renovadas al estar sirviendo a Dios?"

La verdad es que necesita detenerse en lo que está haciendo y escuchar a su corazón. Recuerde que Jesús es su vida, es el latido de su corazón. La vida de Jesús está en usted; su vida está en Él. Ser verdaderamente transformado significa ser consciente de que Jesús vive en usted y que usted vive en Él cada momento de cada día. Esa unidad requiere una relación personal diaria con Jesús, una relación que crece minuto a minuto.

Piénselo. Hace mucho que usted está viviendo "a mil por hora", participando activamente en las expresiones externas de la vida espiritual. Pero ha descuidado la transformación interior que resulta de una relación íntima con Jesús. Como un barco que tiene más peso arriba, sobre la superficie, que debajo de la línea de flotación, usted ha perdido el equilibrio y está en grave riesgo de dar una vuelta de campana.

¿Cómo? ¿Acaso dice que "esa advertencia no es para mí"?

Veamos. Haga una lista de sus actividades espirituales en la actualidad y señale el tiempo que dedica a cada una de ellas en una semana tipo. Estas pueden incluir la enseñanza en la Escuela Dominical, atender el equipo de sonido de la iglesia, integrar la comisión de mantenimiento de la iglesia o el trabajo realizado en el comedor comunitario.

_____

_____

_____

Ahora, señale cuánto tiempo usted dedica, en una semana promedio, para estar a solas con Dios, desarrollando su relación personal con Él.

¿Considera usted que puede haber cierta falta de equilibrio? Si es así, es tiempo de ir a casa. Allí le está esperando Jesús, con el secreto para la vida espiritualmente transformada. Él lo reveló en Juan 15.5b: *"Separados de mí nada podéis hacer"*.

Es muy probable que todas las actividades que usted señaló anteriormente, sean ministerios válidos. Lo único que sucede es que la balanza está inclinada para el lado incorrecto. Debe existir un tiempo prioritario dedicado a su relación personal con Jesús.

Jesús comprendió la importancia de esa línea de vida que lo conectaba con su Padre y se sentía "como en casa" en el amor de su Padre. Quiere decir que diariamente preparaba su corazón para tener comunión con su amante Padre, porque su Padre era la Fuente de su fortaleza, su poder y su sabiduría. Considere las muchas ocasiones en las Escrituras, en las cuales Jesús se apartaba de la actividad para estar con su Padre; para ser amado por Dios, alimentado espiritualmente por Dios, para recibir poder de Dios y ser guiado por Dios (Mr 1.35; Lc 5.16; 6.12). Jesús sabía cuán vital resultaba ese tiempo a solas con su Padre para el cumplimiento de su ministerio en la tierra. Cada día, Jesús sabía lo que debía decir y hacer (y lo que no), porque pasaba tiempo en oración a solas con su Padre celestial: su Luz Guiadora. ¿Sufrió, en alguna manera, el ministerio terrenal de Jesús a causa del tiempo que pasaba apartado de los demás, en soledad con Dios? En absoluto. Su ministerio tuvo más poder por ello.

Considérelo de esta manera. Cuando usted está en casa, se manifiesta lo que usted es en realidad. Esa es la clase de persona con quien Jesús quiere trabajar. La transformación espiritual se produce cuando, día a día, Jesús toma control de esa persona que usted es en realidad, el verdadero yo (su carácter, su naturaleza, sus perspectivas) y lo cambia, dándole un perfil diferente: el perfil de Él. Se trata de un cambio progresivo, orientado fundamentalmente hacia lo interior y no una repentina transición de un estilo de vida a otro. No es una actividad expresada externamente; es un "formarse" Cristo en usted (Gá 4.19). En Romanos 12.2, Pablo destaca que esta transformación es una obra de Dios, no de nosotros. Se trata de un proceso guiado, más que de un esfuerzo realizado bajo nuestra propia dirección.

"En aquellos días él fue al monte a orar, y pasó la noche orando a Dios" (Lc 6.12).

"Hijitos míos, por quienes vuelvo a sufrir dolores de parto, hasta que Cristo sea formado en vosotros" (Gá 4.19).

"No os conforméis a este siglo, sino transformaos por medio de la renovación de vuestro entendimiento, para que comprobéis cuál sea la buena voluntad de Dios, agradable y perfecta" (Ro 12.2).

"Yo soy la vid, vosotros los pámpanos; el que permanece en mí, y yo en él, éste lleva mucho fruto; porque separados de mí nada podéis hacer" (Jn 15.5).

El secreto de la vida transformada, está en el cuidado diario y la alimentación interna de su relación con Jesús, no en el cumplimiento de una "lista de acciones externas para Jesús".

PUNTO DE CONTROL

Hable con alguien que usted conozca, que tiene un hermano gemelo. Pídale que le describa lo que es el vínculo especial que los une como gemelos. Luego, piense en el vínculo especial que usted tiene con Jesús debido a que Él vive en usted. Señale maneras en que su vínculo con Jesús le otorga el poder para hacer cosas que pensaba que nunca podría hacer.

_____
_____
_____
_____
_____

Por supuesto, resulta muy fácil, en nuestra cultura evangélica actual de "lo que hay que hacer", llegar a concentrar toda nuestra atención en el fruto del esfuerzo, antes que en la Fuente que hace posible ese fruto. La iglesia misma, sin darse cuenta muchas veces, impulsa un cristianismo de actividades.

Pero la pregunta que surge de las enseñanzas de Jesús, con respecto a la relación entre la vid y los pámpanos (o sea, las ramas) en Juan 15.5, es simple y directa: Su relación personal con Jesús, ¿es más cercana ahora de lo que era hace un mes?

A Jesús no le preocupaba tanto el producir fruto; el fruto aparecía dondequiera que Él estuviera, por causa de quién era Él; no por lo que hacía.

Al fijarse como prioridad el ser más como Jesús, usted, también, llevará fruto de manera totalmente natural. Si usted no es más como Jesús hoy, de lo que era hace un mes atrás, es hora de que su vida cambie.

Esta es su vida: Una lista de cosas a evitar

A fin de encontrar más tiempo para desarrollar su relación personal con Jesús, haga una lista de algunas actividades, hobbies , pasatiempos u otros proyectos que usted puede reducir en tiempo o aun suspender (ya sea momentáneamente o en forma definitiva), de manera que pueda dedicar ese tiempo a la obra de transformación espiritual que Dios quiere hacer. ¿Qué puede decir del tiempo dedicado a ver la televisión? ¿Y la búsqueda en el Internet durante horas sin un destino específico? ¿Cuánto tiempo dedica al periódico? ¿Y los juegos en la computadora? Es probable que encuentre una montaña de hábitos diarios, que podrían liberar abundante tiempo para su crecimiento espiritual personal. Al reordenar los tiempos que dedica a estas cosas todos los días, usted estará dando un paso gigantesco en dirección a una vida equilibrada; un paso gigantesco hacia el ser transformado a la semejanza de Jesús.

_____
_____

¿Cuáles pasos puede tomar, que le ayudarían a salvaguardar su tiempo a solas con Dios?

_____
_____
_____
_____
_____

Día dos: Jesús, el que obra cambios

Para María, la etapa de la escuela primaria fue un tiempo difícil en su vida. Había nacido con labio leporino y esto le producía un complejo de inferioridad. Los otros chicos continuamente le hacían burlas y le decían que era fea y diferente. Pero una cosa que alegraba la vida de María era su maestra. Era alta, delgada y bonita. A menudo, María soñaba con ser como ella.

Cada año, la maestra tomaba una prueba de audición a todos los chicos. El procedimiento se llamaba "la prueba del susurro". En su turno, cada chico salía del aula y se colocaba con su oído pegado a la puerta, mientras desde adentro, la maestra susurraba algo. El resultado era muy simple: Si el niño o la niña podía repetirle a la maestra lo que ella había dicho, pasaba la prueba.

Cuando le tocó el turno a María, oyó cinco palabras que le cambiaron la vida para siempre. La maestra susurró: "Desearía que fueses mi hijita".[10]

Con un susurro así, Jesús cambió a cada una de las personas con quien se encontró en la tierra. No, no todas tuvieron en cuenta su trascendente llamado; pero cada una de esas personas cambiaron para siempre. Piense en el rico que le preguntó a Jesús: "*¿Qué bien haré para tener la vida eterna?*" (Mt 19.16b). Jesús le dijo que vendiera todo lo que tenía, que se lo diera a los pobres y que lo siguiera. El rico se quedó en la intención nada más; pero se fue cambiado. Su encuentro con Jesús lo hizo descubrir que amaba a su dinero más que a cualquier otra cosa en el mundo. No pudo tomar la decisión de deshacerse de sus bienes, pero muy en lo profundo de su ser supo que era muy pobre por no haberlo hecho.

Cuando Jesús le susurró a usted, a través de la puerta de su corazón: "Te amo, hijo/hija; tu corazón arrepentido está perdonado", su vida cambió para siempre. En ese preciso momento, Él le dio su Espíritu y le capacitó para llegar a ser como Él. Es más, eso es a lo que usted fue llamado: a seguir sus pasos (I P. 2.21). Al hacerlo, otros ven a Dios en usted y crece en ellos el anhelo de conocerlo a Él en forma personal. A través de la obra de Dios en su vida rendida, usted le hace saber a otros que es diferente de los demás y al mismo tiempo, toman conciencia de que usted tiene algo que está faltando en las vidas de ellos.

¿Le ha entregado totalmente su vida a Dios? ¿Le ha rendido todo su ser a Él y al accionar de Él en su vida? ¿Le ha pedido a Dios que cambie:

la manera en que le habla a sus hijos?

la manera en que se relaciona con su esposa?

la manera en que reacciona frente a un compañero manipulador?

la manera en que se comporta en una fila?

Uno sabe que está siendo transformado cuando va más allá de preguntarse: "¿Qué haría Jesús?" Y pasa a preguntarse "¿Qué está haciendo Jesús en mí?"

PUNTO DE CONTROL

Memorice las palabras de Jesús en Juan 14.6-7:
"Yo soy el camino, y la verdad, y la vida; nadie viene al Padre, sino por mí. Si me conocieseis, también a mi Padre conoceríais; y desde ahora le conocéis, y le habéis visto".

la manera en que reacciona frente a un conductor irresponsable?
la manera en que gasta su dinero?
la manera en que usa su tiempo?
la manera en que vive *"su vida cotidiana: comer, dormir? ir a trabajar y desempeñarse en las cosas de la vida?"*
(Ro12.1, THE MESSAGE).[11]

El amor de Dios por usted es tan grande, que envió a su Hijo para morir por usted. Eso lo cambió todo. Ahora bien, usted puede ser el único atisbo de Cristo, que alguna persona llegue a tener en la vida. ¿Está usted dispuesto, a rendir su "desempeño en las cosas generales de la vida", al poder transformador de Dios, de manera tal que su vida produzca cambios permanentes en las vidas de otros, tal como lo hizo la vida de Cristo? Está dispuesto o dispuesta a preguntarse siempre, antes de tomar cualquier decisión: "¿Qué efecto tendrá esto sobre mi relación con Jesús?" Dallas Williard da en el clavo cuando dice: "Nuestras vidas interiores serán transformadas, cuando le pidamos a Jesús que 'se haga cargo de nuestra vida' y comencemos a poner en práctica todo lo que Él dijo que era lo correcto".[12]

¿Quién está a cargo de su vida?

Esta es su vida: *Es hora de cambiar*

¿Qué áreas de su vida es usted reacio o reacia a pedirle a Dios que cambie?
_____
_____
_____

¿Qué áreas de su vida ya han sido transformadas por la obra de Dios?
_____
_____
_____

Día tres: ¿Qué tiene que ver el amor en esto?

Una canción popular, plantea una pregunta que merece responderse: "¿Qué tiene que ver el amor en esto?" Para el creyente en Cristo, la respuesta es: absolutamente todo. El amor es el mandamiento fundamental de toda la Biblia. Es la característica esencial de Dios. Y debe ser su característica esencial, si es que usted va a amar a los demás como Jesús le ama a usted (Jn 13.34).

Piense en Jesús: lo sacrificó todo, sufrió todo y se negó totalmente a sí mismo para que usted viera cuán absolutamente sorprendente, ilimitado e invariable es el amor de Dios (Jn 3.16). Jesús amó incondicionalmente con todo su corazón. Y eso es lo que se le manda a usted hacer (Jn 15.9).

No estamos hablando aquí de un amor que puede ser dispensado con facilidad. La Biblia no fija como objetivos primordiales de nuestro amor a los niños que nos dan un beso cada día, ni a nuestras esposas o esposos que nos acompañan en las buenas y en las malas, ni al amigo que nos viene a visitar cuando estamos enfermos. Esas personas son fáciles de amar. En cambio, la Biblia nos manda amar a los que nos escupen en la cara y a los que nos quebrantan el corazón (Jn 17.18; Mt 5.44).

Y eso es difícil de hacer; concretamente, tan difícil, que amar a otros como Jesús los ama, no es algo que uno puede hacer por su cuenta. Se necesita la ayuda del Espíritu Santo para que Él nos dé la capacidad. ¿Por qué? Porque usted tendrá que sacrificarse para vivir esa clase de amor; tendrá que sangrar un poco para vivir esa clase de amor y hasta parte de usted tendrá que morir para vivir esa clase de amor.

Jesús soportó las agresiones de los fariseos, llenas de malicia e hipocresía y de todos modos los amó. Recibió el beso traidor de Judas y aun así lo amó. Observó a los que le clavaron las manos y lancearon su costado y no dejó de amarlos. Jesús amó en un mundo cargado de odio. Se destacó a causa de ello. Y con su amor cambió al mundo. Cuando Jesús amaba, el odio temblaba y retrocedía al abismo desde donde había salido. Y Dios era glorificado.

Cuando usted ama –y ama de veras–, ¿qué sucede?

Piense en el estudio de la semana anterior y recuerde el caso de la madre del joven estudiante que murió sin sentido. Imagine lo que seguramente sintió al ver el cuerpo de su hijo en un ataúd. Su hijo, que ya nunca podría arrojar su gorro al aire el día de su graduación; su hijo, que nunca esperaría a su novia junto al altar; su hijo, que nunca conocería la alegría de ser padre. Nunca. Nunca. Nunca.

La ira, el dolor y el resentimiento, seguramente fueron espantosos. Pero cuando le pidió a Dios que le perdonara sus propios pecados, milagrosamente, Él comenzó a cambiar la capacidad de ella para amar y perdonar a otros.

¿Podría usted amar a la persona responsable de la muerte de su hijo? No, no podría. No por su cuenta. Esta mujer, tampoco podría haber amado a Jim por su cuenta. Ningún ser humano puede generar un amor de esa naturaleza. Pero Dios puede crearlo en un corazón dispuesto (II Co 5.14). Y al entregarle a Dios su corazón quebrantado, pero dispuesto, esta mamá llegó a ser como Jesús. Y a través de su propio arrepentimiento y de la aceptación de Dios, Jim también llegó a ser como Jesús. Hoy, ese amor de Dios que transforma y da poder, permite que estas dos personas puedan amar de una manera extraordinaria. Aman en un mundo cargado de odio. Se destacan por ello. Y con su amor están cambiando al mundo. Cuando estas dos personas aman, el odio tiembla y retrocede al abismo de donde salió. Y Dios es glorificado.

Usted, también, ha sido bendecido con esa clase de amor que da poder; es parte de la nueva naturaleza espiritual que recibió cuando Dios le aceptó como su hijo o su hija. Pero ¿se rindió usted al anhelo de Dios, de manifestar un amor extraordinario a otros, a través de usted? Veamos.

Piense en dos personas a quienes no aprecia. Escriba sus nombres y las razones por las cuales no quiere a estas personas.

_____

_____

Ahora, piense en alguien que no lo quiere a usted. Escriba el nombre de esa persona, junto con las razones por las cuales le parece que esa persona no lo quiere.

_____

_____

Si usted y las tres personas que acaba de mencionar, fueran las únicas que caminaran sobre esta tierra, ¿le parece que Jesús habría muerto nada más que por usted y esas otras tres personas? La respuesta es: sí, absolutamente. ¿Por qué? Porque Él le ama profundamente, a pesar de sus fallas y Él ama profundamente a aquellos que usted no quiere; a pesar de las fallas de ellos.

¿Se anima a pedirle a Dios que lo llene de esa clase de amor? ¿Se anima a orar cada día, pidiendo a Dios que le dé la capacidad de amar a esas personas como Jesús las ama, sin tener en cuenta lo que pudieran haberle hecho, no importa cuán terrible sea?

Dios desea que usted experimente una nueva relación con Él y con las personas en general, especialmente con aquellas que le escupen en la cara y le quebrantan el corazón. Y a través del Espíritu Santo, Él le da la capacidad para hacerlo (Jn 13.35; 14.21,23).

Pídale a Dios que use su corazón quebrantado y dispuesto, como una fuente de amor para aquellos que parecen imposibles de amar. Las semillas del amor incondicional, ya están sembradas en él. Pídale que le ayude a amar como Jesús amó; que le ayude a dejar de ver, sentir y actuar con el odio y la malicia con que el mundo lo hace; que le transforme para ver las cosas como Jesús las veía, para sentir lo que Jesús sentía y para actuar de la manera en que Jesús actuaba. Para amar como él amaba. Para hacer que el odio tiemble. Para que otros vean a Jesús en usted y le den la gloria a Dios.

Esta es su vida: *Asombroso amor*

Si su deseo es amar como Jesús amó, derrame su corazón delante de Dios, en oración escrita, tal como hizo aquella madre. Pídale a Dios que le llene de ese poder del Espíritu Santo, que le permita amar a las personas que usted tiene en su lista, de la misma manera en que Él las ama. Dígale a Dios dónde usted se siente "trabado" en sus relaciones con ellas. Dígale por qué está enojado con estas personas. Arrepiéntase de las cadenas de odio que mantienen prisionero a su corazón, y pídale a Dios que le libere de ellas. Pídale que le dé un corazón capaz de amar: como el de Él.

Mi oración

_____
_____
_____
_____
_____
_____
_____
_____
_____

LO PRINCIPAL

Usted no puede copiar el amor de Jesús; pero Dios puede hacerlo realidad, si su corazón está quebrantado y dispuesto.

PUNTO DE CONTROL

Si piensa que nunca vio un milagro, piense otra vez. ¡Usted es uno!

Día cuatro: Confíe y obedezca

La tarea de Terry Jackson, enfermero quimioterapista que trabaja en una sala de oncología infantil, es tratar de encontrar alguna pequeña vena, en un brazo que, muchas veces, está consumido. A través de estos frágiles accesos, tiene que iniciar las sesiones de quimioterapia, que a veces duran hasta 12 horas cada una, y además son muy dolorosas. Probablemente, él sea el mayor causante de dolor que los chicos hayan conocido durante su hospitalización. Pero dado que Terry ya sabe lo que es luchar contra el cáncer y sus terribles dolores, su corazón es muy sensible. Asume su responsabilidad frente a los niños como una "imposición de manos con amor y aceptación". Prácticamente, no hay nada que le provoque rechazo. Es una presencia cálida y comprensiva que a los chicos les inspira confianza. Y es a Terry a quien más quieren tener a su lado a la hora de morir. Aunque es el mayor causante de dolor, también es el principal dador de amor.[13]

Sin duda, estos chicos confían en Terry porque permanentemente les demuestra su amor y aceptación y porque él mismo soportó esa clase de dolor. La obediencia de ellos a las indicaciones de Terry, tiene su fundamento en la plena confianza en que él sabe lo que es mejor.

Y hablando de usted, Jesús es el principal dador de amor en su vida. Le anima a confiar y obedecer porque sabe lo que es mejor. En su propia vida cotidiana, Jesús demostró su obediencia a Dios. Cuando siguió las indicaciones de Dios y se dejó bautizar por Juan en el río Jordán, Dios expresó su inmenso placer por esa obediencia (Mt 3.13-17). Pero la obediencia de Jesús no terminó allí. Como en el caso de los niños afectados por el cáncer, Jesús mismo aprendió la obediencia a través de gran sufrimiento (He 5.8-9). Su férrea obediencia, aun frente a la muerte, demostró que amar a Dios es confiar en Él y obedecer sus mandamientos, sea cual fuere el precio, a causa de la gloria que resulta de tal sacrificio.

Esa clase de obediencia es la que Dios quiere de usted. Cuando uno considera el amor sacrificial de Jesús, ¿cómo no confiar ciegamente en alguien que murió en nuestro lugar? ¿Acaso no es esa una comprobación de que Él está pensando en lo mejor para nosotros? El sacrificio de Jesús por usted debiera disipar toda duda que todavía pudiera tener en cuanto a la capacidad de Él para guiar su vida, no importa cuán sombrías puedan presentarse las cosas en ese momento. Recuerde: Él ve el panorama completo, no apenas una vista parcial difusa; y eso debe inspirarle a confiar ciegamente en Él, depositar su vida a sus pies sin estar tratando de controlar parte de ella (Jn 14.1).

Sin embargo, hay algo que necesita quedar absolutamente claro: Confiar, no es lo que la gente en general entiende por tener esperanza. Confiar en Jesús, le lleva a usted mucho más allá de la mera esperanza.

La esperanza cree en el resultado positivo de la vida de una persona o de determinadas circunstancias. La confianza en Jesús descansa en la plena certeza de que Dios está en control, cualquiera sea el resultado.

¿Tiene usted esa clase de confianza total en Jesús? ¿Obedece los mandamientos del Señor para su vida porque lo ama y confía en Él? Si no es así, ¿por qué no? ¿Por qué se aferra a fragmentos de su vida, cuando usted no puede ver el panorama completo pero Él sí puede? Es tarea de Dios transformar su vida, no de usted. Lo único que le pide es que usted, igual que un chico afectado de cáncer, confíe totalmente en Él; que ponga su mano temblorosa en la mano firme de Él, y que sea obediente a la guía del Señor (Jn 14.12,15,21,23). Si usted se apoya en Dios con esa profunda confianza, Él cambiará su manera de pensar. Cambiará su manera de actuar. Cambiará su manera de vivir. Cambiará su manera de amar. Y el resultado será una fe más profunda, junto con una vida que glorifica a Dios.

Esta es su vida: *El rostro de la confianza*

Escriba el nombre de una persona en la que usted confía plenamente.

_____

¿Por qué confía en ella?

_____
_____
_____

Si al dar su vida por usted, Jesús comprobó ser el más confiable, ¿por qué algunas veces no confía en Él?

_____
_____
_____

Describa una circunstancia en la que no confió en Jesús para la solución de un problema.

_____
_____

"No se turbe vuestro corazón; creéis en Dios, creed también en mí" (Jn 14.1).

"De cierto, de cierto os digo: El que en mí cree, las obras que yo hago, él las hará también; y aun mayores hará, porque yo voy al Padre... Si me amáis, guardad mis mandamientos... El que tiene mis mandamientos, y los guarda, ese es el que me ama; y el que me ama, será amado por mi Padre, y yo le amaré, y me manifestaré a él... El que me ama, mi palabra guardará; y mi Padre le amará, y vendremos a él, y haremos morada con él" *(Jn 14.12,15,21,23).*

¿Cuál fue el resultado?

_____
_____
_____

¿Cuál le parece que habría sido el resultado, si en esta circunstancia hubiese confiado en Dios y lo hubiese obedecido, en lugar de tomar el asunto en sus propias manos?

_____
_____
_____

Señale una circunstancia en la que sí confió en que Jesús daría una solución al problema.

_____
_____
_____
_____
_____

¿Cuál fue el resultado?

_____
_____
_____
_____
_____

¿Qué cambiaría en su vida si pusiera su plena confianza en Él?

_____
_____
_____
_____
_____

Día cinco: La gloria se trasluce

¿Alguna vez se sentó a contemplar el amanecer de un nuevo día? Al principio, apenas aparecen los atisbos de un resplandor entre rojo y anaranjado, sutiles promesas de un espectáculo visual que se acerca. Lentamente, rayos de color rojo y amarillo brillantes, se proyectan como si fuesen dedos que intentan tocar el firmamento. Después, a ellos se agregan otros haces, dándoles a esas primeras luces mayor intensidad. Se trata, verdaderamente, de una revelación gloriosa de la creatividad de Dios. Cuando uno mira la obra de sus manos, algo dentro de nuestro corazón nos dice que no hay artista como Él (Sal 19.1).

Así como el amanecer proclama: "Este es el día que hizo Jehová" (Sal 118.24), nuestra vida como creyentes debe proclamar: "Este es un hijo que el Señor ha hecho". Cuando nos rendimos totalmente a Dios, Él obra en nuestra vida de tal manera, que Cristo vive su vida en nosotros. Y como resultado, Dios es glorificado por lo que Él hace en nuestras vidas, a los ojos de un mundo que nos observa (Jn 17.10). Cada uno de nosotros somos vasijas de Dios, instrumentos de su paz; y el propósito de nuestra vida es sencillo: glorificar a Dios con cada fibra de nuestro ser, con cada paso que damos, y cada vez que respiramos, para que el mundo llegue a conocer a Jesús a través de nosotros.

La vida de Jesús estuvo completamente dedicada a glorificar a Dios por las cosas grandes que había hecho. Cosas grandes: como enviar a su Hijo a morir por un mundo que no merecía tal supremo sacrificio. Cosas grandes: como comprobar, de una vez por todas, que el odio no puede prevalecer por sobre la pureza del amor. Cosas grandes: como transformar nuestro corazón independiente y obstinado, en un corazón que ama, confía y obedece; un corazón que alumbra como un faro en un mundo encerrado en la oscuridad. A usted podrá parecerle como que Dios no alumbra a través de su persona, pero el resplandor que glorifica a Dios está ganando intensidad en su vida, tan ciertamente como el sol sale en la mañana. No importa si el Espíritu hace de usted un Pablo ardiente, o un Juan fiel; lo que importa es que le está haciendo como Jesús, "de gloria en gloria" (ver II Co 3.18; Mt 5.16).

Señale algunas maneras en que Dios alumbra a través de usted.

_____

_____

Si tuvo dificultades para hacer su lista, entonces tenga presente esto: Dios alumbra a través de usted, cuando ama a su esposa o esposo más que a usted mismo. Alumbra a través de usted, cuando hace la voluntad de Él,

DEL LIBRO

"Los cielos cuentan la gloria de Dios, y el firmamento anuncia la obra de sus manos" (Sal 19.1).

"Todo lo que es mío es tuyo, y lo que es tuyo es mío; y mi gloria se hace visible en ellos" (Jn 17.10, DHH).

"Así alumbre vuestra luz delante de los hombres, para que vean vuestras buenas obras, y glorifiquen a vuestro Padre que está en los cielos" (Mt 5.16).

"Por eso, todos nosotros, ya sin el velo que nos cubría la cara, somos como un espejo que refleja la gloria del Señor, y vamos transformándonos en su imagen misma, porque cada vez tenemos más de su gloria, y esto por la acción del Señor, que es el Espíritu" (2 Co 3.18, DHH).

"Para que seáis irreprensibles y sencillos, hijos de Dios sin mancha en medio de una generación maligna y perversa, en medio de la cual resplandecéis como luminares en el mundo" (Fil 2.15).

LO PRINCIPAL

El propósito de Dios para usted es que glorifique al Padre en su vida diaria, de manera que otros lo vean a Él en usted.

PUNTO DE CONTROL

Su relación con Jesús, ¿es más cercana hoy que la semana pasada?

no la suya propia. Alumbra a través de usted, cuando es obediente a la voluntad de Dios y no a la presión del mundo. Dios alumbra a través de usted, cuando toma la mano temblorosa de otro entre las suyas, y comparte el dolor. Alumbra a través de usted, cuando cuida de un niño o de otro que está necesitado. Cuando hace estas cosas, o bien una interminable lista de actos diarios de amor y de gracia, Jesús está viviendo su vida en usted. Dios es glorificado. Y esa luz se proyecta poderosamente al mundo.

El propósito total de Dios, es el de llamar a la comunión con Él a personas nacidas del Espíritu, personas que tengan una nueva naturaleza y una nueva identidad en Jesús, personas que vivan la vida movidas por el amor, la confianza y la obediencia, y para quienes el gozo mayor sea glorificar a Dios (2 Co 3.18; Fil 2.15).

En su libro A Long Obedience in the Same Direction, Eugene Peterson resume de esta manera la misión de la vida cristiana: "Lo principal, no es trabajar para el Señor; no es sufrir en el nombre del Señor; no es enseñar en la Escuela Dominical para el Señor; no es ser responsable por el testimonio del Señor en la comunidad; no es guardar los Diez Mandamientos; no es amar a tu prójimo; no es observar la regla de oro -Tal como reza el primer artículo de la Confesión de Westminster-. El propósito principal del hombre es glorificar a Dios y disfrutar de Él para siempre".[14] En términos prácticos, esto significa ser como Jesús en todo, dondequiera que estemos. En Jesús, la gloria de Dios fluía como un río. Y en usted, día a día, momento a momento, esa gloria fluirá también de su vida rendida.

Esta es su vida: *Dios alumbra a través de Ud.*

Use estos momentos para elevar su alabanza personal a Dios, porque Él lo ama más allá de toda comprensión. Haga de estas palabras, su himno de amor y devoción. Descubra que cuando Jesús vive su vida visiblemente en usted, Dios es glorificado. ¡Si no conoce esta canción, hágala suya!

Alumbra, Jesús, alumbra,
Llena la tierra con la gloria del Padre;
Arde, Espíritu, arde,
Enciende con tu fuego mi corazón.
Fluye, río, fluye,
Las naciones inunda con misericordia y gracia;
Envía tu Palabra, Señor,
Y que haya luz.[15]

Un momento con el Señor

Usted nunca está solo. Esa es la promesa de Jesús. Cuando llegó a ser un hijo o una hija de Dios, sus días de lucha solitaria terminaron. Jesús se aseguró de eso. Aunque su vida física aquí en la tierra fue breve, Jesús le pidió a su Padre celestial que nos dejara una compañía constante para nuestro diario caminar en esta tierra. Ese compañero cercano es el Espíritu Santo, a quien la Biblia también identifica como el Consolador.

"Y yo rogaré al Padre, y os dará otro Consolador, para que esté con vosotros para siempre: el Espíritu de verdad, al cual el mundo no puede recibir, porque no le ve, ni le conoce; pero vosotros le conocéis, porque mora con vosotros, y estará en vosotros" (Jn 14.16-17).

La intención de Jesús fue de morar con usted en espíritu, de proporcionarle una fuente de sabiduría y fortaleza que fuera personal y constante. La expresión "otro Consolador" tiene un significado especial. En el texto original en griego, el término usado para "otro", significa "otro del mismo tipo" o "igual que". Jesús está diciendo: "Voy a enviar a otro igual a mí". De esta manera, aunque Jesús no esté más en forma humana, está siempre con usted en espíritu.Jesús sabía que usted necesitaría de su guía y compañía y por eso Él promete que nunca se apartará de su lado.

"Os he dicho estas cosas estando con vosotros. Mas el Consolador, el Espíritu Santo, a quien el Padre enviará en mi nombre, él os enseñará todas las cosas, y os recordará todo lo que yo os he dicho" (Jn 14.25-26).

Consolador significa "uno que está al lado". Un predicador anciano, captó el propósito y la función del Espíritu Santo en su vida, elevando esta oración sencilla: "Señor, apuntálame del costado en que me estoy inclinando". El Espíritu Santo es ese puntal fuerte, permanente. En Romanos 8.35, 37-39, las Escrituras señalan con toda claridad la permanencia del Consolador y la fortaleza que Él da: *"¿Quién nos separará del amor de Cristo? ¿Tribulación, o angustia, o persecución, o hambre, o desnudez, o peligro, o espada?... Antes, en todas estas cosas somos más que vencedores por medio de aquel que nos amó. Por lo cual estoy seguro de que ni la muerte, ni la vida, ni ángeles, ni principados, ni potestades, ni lo presente, ni lo por venir, ni lo alto, ni lo profundo, ni ninguna otra cosa creada nos podrá separar del amor de Dios, que es en Cristo Jesús Señor nuestro".*

Jesús, en la persona del Espíritu Santo, vive en el corazón de usted ahora y siempre.

> ## Jesús está con usted

"Y para terminar ..."

Al llegar al final del estudio para esta semana, dedique unos minutos para repasar las lecciones.

¿Qué considera usted que es lo más importante que Dios le enseñó esta semana?

_____
_____
_____
_____

¿Qué considera que sería la acción principal que Dios quisiera verle realizar, sobre la base del estudio de esta semana?

_____
_____
_____
_____

Dedique un tiempo a orar. Dé gracias a Dios por hablarle a través de su estudio y pídale que le ayude a poner en práctica lo que está aprendiendo.

Semana **3**
Fortaleza para su corazón

Un oficial del ejército llamó a la puerta de una joven mujer para informarle que su esposo había muerto en Vietnam. Poco después, la mujer compartía su tribulación con su madre. La viuda rogaba a su madre que la ayudara a entender qué beneficio, qué propósito noble podía encerrar la muerte de su joven esposo. Más tarde, su madre hablaba con el pastor acerca de los pensamientos que habían pasado por su propia mente mientras lloraba y abrazaba a su única hija.

"Hace catorce años, un policía llamó a mi puerta para comunicarme que mi esposo había fallecido en un accidente automovilístico. Desde entonces, todos los días me pregunté a mí misma -y a Dios-, qué propósito podía tener ese dolor en mi corazón. Ahora, 14 años después, mientras sostenía a mi hija y la oía clamar por que alguien le ayudara a entender su pérdida, supe que la respuesta había llegado".[16]

El corazón de la madre, modelado por el Espíritu Santo durante esos 14 años, estaba preparado para ser la presencia misma de Jesús, para su propia hija quebrantada de corazón. El corazón de esta madre, era uno que Dios conocía íntimamente, porque Él había caminado con ella a través de este mismo valle de muerte. Por esa razón, ella pudo tomar la mano de su hija y ayudarla a transitar este sendero difícil.

Una gran parte de las dificultades en su vida pueden ser propias de la vida en este mundo imperfecto. No obstante, el efecto de ellas -de transformarle a la semejanza de Jesús-, es una obra del Espíritu Santo. Lo que pudiera parecer nada más que un dolor sin sentido, será una oportunidad para experimentar el poder modelador, transformador, del Espíritu Santo.

La semana anterior, usted aprendió lo importante que es tener una vida equilibrada: el dedicar más atención al cultivo de una relación íntima y cada vez más profunda con Jesús, que a las actividades espirituales externas. También aprendió cómo Dios le da el poder para amarlo, obedecerlo, confiar y como resultado glorificarlo a Él. Esta semana, pasaremos revista a las diferentes herramientas que Dios usa para llevar a cabo la progresiva transformación espiritual en su vida.

Dios utiliza tanto las circunstancias extraordinarias como los acontecimientos corrientes, para transformarle a la imagen de Jesús.

UN VISTAZO A LA SEMANA 3

Día 1:
El poder de las palabras vivas

Día 2:
La familia que se mantiene unida

Día 3:
El hierro afila el hierro

Día 4:
Ejercicios que modelan el corazón

Día 5:
Las lecciones de la vida
Un momento con el Señor

Día uno: El poder de las palabras vivas

En la película *Mi vida*, un esposo joven llamado Bob Jones descubre que morirá antes que nazca su hijo. Como quiere que su hijo lo conozca personalmente y a la vez quiere guiarlo en la vida, Bob graba una colección de vídeos en los que expone sus sentimientos y su sabiduría. Al finalizar la película, aparece un niño que empieza a caminar y grita entusiasmado: "¡Papá!" mientras señala a la imagen de Bob y oye su voz en el vídeo. El niño reconoce claramente a su papá. Lo escucha y aprende de él, tal como Bob había esperado que hiciera.[17]

Dios le dio a usted su Palabra para que conozca lo que está en el corazón de Él y la sabiduría que tiene para exponerla. Sus palabras son el firme fundamento sobre el cual usted debe establecer su relación única y especial con Él (II Ti 3.16-17). Sin ellas, usted es un mendigo; con ellas, usted está dotado de una herencia de rica sabiduría para la vida diaria; sabiduría que le dará el conocimiento y la libertad necesarias para vivir la vida como Jesús la vivió (Jn 8.31-32).

Con mucha agudeza, Henry Ward Beecher señala así la sabiduría rectora de la Palabra de Dios: "Permite que el día tenga su bautismo de bendición, al darle a Dios los primeros pensamientos al despertar. La primera hora de la mañana es el timón del día".[18] Y en su libro *Soul Nourishment* [Alimento para el alma], George Mueller capta la esencia vital de la Palabra Viva: "Medito en las Escrituras buscando intensamente en cada versículo para obtener bendición de él: nó pensando en el ministerio público de la Palabra, no con el propósito de predicar sobre aquello en lo que he meditado, sino con el propósito de obtener alimento para mi alma".[19]

Un timón para guiar su vida. Alimento para su alma. Ese es el propósito de la Biblia. ¿Necesita usted consejo acerca de cómo analizar y superar ese enojo que siente para con su esposa o esposo? Está en la Palabra de Dios (Ef 4.26). ¿Qué decir sobre esa costumbre de gritarle a sus hijos cuando está cansado o cansada –y cuando no lo está también? Allí está (Ef 6.4). ¿Necesita ayuda para reaccionar como lo haría Jesús, cuando alguien quiere sacar ventaja de usted? Allí la encontrará (Lc 6.29-31). ¿Necesita un buen tirón de orejas por su conducta egoísta? Eso también está en la Biblia (Stg 3.14-16)–, junto con la sabiduría necesaria en cada aspecto de la vida, para ser como Jesús mientras transita por esta tierra.

¿Está usted conectado o conectada a esta fuente de poder para la transformación? La Palabra de Dios, establece la conexión con Jesús: tal como si lo tuviese sentado a su lado. Es la "autobiografía" de Él: una descripción viva de su persona. Le muestra la manera en que vivió y la manera en que amó; y así se constituye en su guía para saber cómo Dios quiere que Jesús viva y ame a través de usted. No hay ficción en este libro increíble. La Biblia está viva (He 4.12). Es la pura verdad. Y nada más que la verdad (Jn 17.17).

¿Cuántas Biblias hay en su casa en este momento? Escriba el número aquí _____. Supongamos que en su país llegara a ser delito tener una Biblia y que todas las que tiene en la actualidad le fueran quitadas, ¿cuántos versículos de las Escrituras conoce de memoria como para escribirlos? Escriba las citas de los versículos que sabe de memoria.

_____
_____
_____
_____

¿Necesitó más espacio? Si no fue así, quiere decir que usted está desconectado o desconectada de una extraordinaria fuente de poder. Dentro de cada pasaje de la Palabra de Dios, hay una lección que puede transformar su vida. Es por eso que usted necesita estudiar la Biblia con toda la disposición de su corazón. Grabe sus palabras en su mente y en su corazón, de manera que si el día de mañana le quitaran la Biblia, usted podría continuar viviendo sus verdades porque serían una parte inseparable de usted, entretejidas en la fibra misma de su mente, su corazón y su vida. Pídale a Dios que use sus verdades para transformar de tal manera su vida que otros vean que la Palabra está viva en usted y se sientan acercados a ella. La canción *Where the Silence Breaks* [Donde se rompe el silencio], expresa esa libertad que uno encuentra cuando vive el poder de la Palabra de Dios.

> *Cuando busco a Dios por la mañana, siento que soy libre*
> *de todas las voces inquietas que me llaman.*
> *Rodeado de silencio, me rindo a la verdad que,*
> *vivir donde pueda escuchar, es todo lo que Él me pide.*
>
> *Yo quiero oír la voz, no importa lo que cueste.*
> *Quiero ser tan débil que necesite escuchar,*
> *y lo suficientemente fuerte para esperar.*
> *No alcanza con saber que Él está hablando,*
> *yo quiero oír lo que tiene para mí.*
> *De modo que me quedo yo, en la sombra,*

"Al que te hiera en una mejilla, preséntale también la otra; y al que te quite la capa, ni aun la túnica le niegues. A cualquiera que te pida, dale; y al que tome lo que es tuyo, no pidas que te lo devuelva. Y como queréis que hagan los hombres con vosotros, así también haced vosotros con ellos" (Lc 6.29-31).

"Pero si tenéis celos amargos y contención en vuestro corazón, no os jactéis, ni mintáis contra la verdad; porque esta sabiduría no es la que desciende de lo alto, sino terrenal, animal, diabólica. Porque donde hay celos y contención, allí hay perturbación y toda obra perversa" (Stg 3.14-16).

LO PRINCIPAL

El conocimiento de las verdades de la Biblia le da la libertad de vivir como Jesús vivía.

PUNTO DE CONTROL

Su relación con Jesús, ¿es más cercana hoy de lo que era hace dos semanas? Si no es así, ¿por qué no?

_____
_____
_____

viviendo allí donde el silencio se quiebra.
Puedo oírlo en las páginas, revelando verdades ocultas,
antiguos versículos, con nuevas respuestas para lo que a mí me pasa.
Como agua al sediento, su Palabra me es luz,
No quiero perder el momento en que Él me llama...[20]

(Traducción libre)

Esta es su vida: *Palabras de sabiduría*

El gran teólogo y evangelista John Wesley escribió: "¡Oh, dadme ese libro! ¡A cualquier precio, dadme el Libro de Dios! Lo tengo. Aquí hay conocimiento suficiente para mí. Que yo sea un hombre de un solo libro".[21]

Cuán vital es que usted, al igual que Wesley, anhele la Palabra de Dios y tenga sed por ella. Hoy día, resulta tan fácil tener acceso a la Palabra de Dios. ¿Pero qué haría usted si la bendición de leer la Palabra de Dios todos los días de pronto se convirtiera en una bendición del pasado? Imagine por un instante, que de aquí a un año todas las Biblias existentes en el mundo serán destruidas. Lo único que quedará de la Palabra escrita será aquello que usted guarde en su memoria. Si memoriza un versículo por semana durante un año, tendrá 52 versículos para guiarle a través del resto de su vida. Si memoriza un versículo por día durante un año, tendrá 365 versículos para guiarle a través del resto de su vida. Si no memoriza ninguno...

No deje que el Libro de la Verdad, que puede transformar su vida, acumule polvo en algún estante. Sumérjase en él de manera que se convierta en su timón. Alimente su alma con su sabiduría. Comience memorizando II Corintios 3.18 y Romanos 12.1-2, que aparecen en las páginas 6 y 7 de su guía de estudio.

Escriba aquí su compromiso de estudiar la Biblia y memorizar sus palabras. Yo, _____ me comprometo a honrar a Cristo y a mi creciente relación con Él, memorizando _____ versículos de las Escrituras cada _____. Me aseguraré de cumplir con este compromiso, pidiendo a _____ que sea mi compañero/a en las Escrituras.

Día dos: La familia que se mantiene unida

Todas las tardes, el anciano se sentaba en su sillón mecedor y tallaba un palo con su cuchillo. Sus nietos llegaban de la escuela y, sentados en medio de la pila de astillas que rodeaban al abuelo, jugaban a tratar de adivinar lo que estaba tomando forma en sus manos. Aunque podía crear cosas asombrosas con un cuchillo y un palo, el interés mayor de este hombre era "tallar" la vida de estos chicos que le observaban cada movimiento.

Lo único que este hombre conocía mejor que las travesuras y andanzas de sus nietos, era lo que la Biblia decía acerca de mentir, robar, reírse de los demás y contestarle a mamá en forma insolente. Sentados a sus pies, estos chicos expectantes, aprendían versículos bíblicos al compás de los quejidos de la mecedora. El abuelo siempre lo hacía divertido, regalando el fruto de su trabajo de tallado –sea un trompo, un pequeño libro o una cruz– al primero que pudiera memorizar una parte importante del versículo; o al que por lo menos pusiera más empeño. A menudo decía que los chicos eran como pequeños palos: tallar un poquito por aquí, un toquecito suave por allá y un buen coscorrón en la cabeza de vez en cuando y se convierten en alguien de quien uno puede sentirse orgulloso.

Pasaron ya unos cuántos años y esos chicos curiosos tienen ahora sus propios hijos y el viejo sillón mecedor está quieto y silencioso. Pero los nietos de aquel hombre sabio aún pueden recordar los versículos que aprendieron a sus pies. Los llevarán en sus mentes y en sus corazones para siempre.

En el joyero de una joven mamá, una pequeña cruz de madera tallada ocupa un lugar de honor. Alguna vez fue un tosco palo modelado por las manos de un anciano. Ahora, es un recordatorio de que su abuelo la amó tanto, como para trabajar sobre ella y limar sus asperezas, afilarla, a fin de obtener algo mucho más agradable a los ojos de los demás y de Dios (Pr 22.6).

Ahora, cuando uno de sus propios hijos la lleva al límite de su paciencia, pasa sus dedos sobre aquella suave cruz de madera y le da gracias a Dios por un sillón mecedor que crujía, por un anciano sabio y por un palo que se transformó entre sus manos cariñosas. Entonces se acerca a los hijos que Dios le confió para cuidar y educar y talla un poquito más. [22]

Una de las mayores responsabilidades que una persona puede tener es la de ser padre. ¿Por qué? Porque Dios usa la célula de la familia como un lugar de transformación, como el capullo de un gusano de seda. Él quiere que usted les dé a sus hijos una herencia de sabiduría divina. En Deuteronomio 6.6-7, hay una misión perfectamente establecida para los padres: *"Y estas palabras que yo te mando hoy, estarán sobre tu corazón; y las repetirás a tus hijos, y hablarás de ellas estando en tu casa, y andando por*

DEL LIBRO

"Instruye al niño en su camino, y aun cuando fuere viejo no se apartará de él" (Pr 22.6).

LO PRINCIPAL

Los integrantes de la familia son uno de los canales más importantes de Dios para comunicar la sabiduría que lleva a la transformación espiritual.

el camino, y al acostarte, y cuando te levantes".

Eunice, la madre de Timoteo, es un precioso ejemplo de una madre del Nuevo Testamento que tomó en serio estas palabras y se consagró a enseñar a su hijo el camino de Dios. La vida de Timoteo fue un testimonio de su diligente esfuerzo. Tener padres que le enseñen a uno los caminos de Dios a partir de su Palabra, es un tesoro inapreciable. Ser un padre que ama lo suficiente como para hacer el primer tallador en la vida de un niño, es un llamamiento alto y precioso. Obedecer a este llamamiento, no sólo les da a sus hijos y nietos una temprana visión del asombroso amor y poder de Dios, sino que también proporciona oportunidades siempre nuevas para uno, de aprender los caminos de Dios mientras busca guiar y ofrecer dirección a su hijo o nieto.

Si de chico usted tuvo un "tallador" en su vida, dé gracias a Dios por él. Tómese el tiempo necesario para recordar todas las verdades divinas que este ser amado compartió con usted. Y luego haga honor a la vida de esa persona, semejante a la de Cristo, dedicándose usted mismo a modelar la vida de los chicos que Dios ponga o haya puesto en su vida. Tallando una astillita a la vez.

Esta es su vida: *Sabiduría de las generaciones*

Describa una lección espiritual que, como niño, aprendió de alguno de sus padres o de otro familiar fiel al Señor.

_____

¿Cómo le parece que habría tenido la oportunidad de aprender esta lección, si esta persona no se hubiese tomado el trabajo de tallarla amorosamente en su corazón?

_____

Pídale a Dios que le dé un corazón receptivo para con un familiar que tiene verdades divinas para transmitirle. Escriba el nombre de esa persona.

_____

Si ha rechazado los intentos por parte de algún familiar de transmitirle sabiduría de Dios, pregúntese por qué usted se resiste y escriba la razón.

_____

Ore para que Dios derribe toda resistencia frente a esta fuente de transformación espiritual y para que sus propios hijos no levanten barreras a esta herramienta de transformación que es tan poderosa y a la vez tierna y delicada.

PUNTO DE CONTROL

Repita de memoria, un versículo bíblico que haya aprendido hace poco. Escríbalo, como un recordatorio de su compromiso de aprender de memoria la Palabra de Dios.

_____

_____

_____

_____

_____

_____

Día tres: El hierro afila el hierro

Joe Nu'u, un adolescente originario de Samoa, que se crió en un distrito de Los Ángeles, era un pandillero de 1,85 m de estatura y 275 libras de peso, cargado de resentimientos contra los blancos por lo que eran y por lo que tenían. Era rápido para admitir que no tenía futuro y más rápido aún en hacer uso de sus puños para exteriorizar su frustración. Estando en su último año de la secundaria, Joe fue arrestado por su participación en una brutal pelea que arrojó como resultado un policía herido. Mientras Joe esperaba ser juzgado, el vice-rector de su escuela le aconsejó que asistiera a otra escuela superior, a fin de cambiar de ambiente. Hacía poco que J. B. Rogers, un pastor local, había comenzado un ministerio estudiantil en esta escuela. Y estaba buscando estudiantes como Joe.

Un día, Rogers llamó a la puerta de la casa de Joe y comenzó a contarle acerca del amor de Jesús. Las palabras de Rogers le resultaban muy extrañas a Joe porque en Watts, la definición de amor era despreciable y vulgar. Pero Rogers insistió. Visitó a Joe con regularidad. Finalmente, Joe aceptó asistir a un estudio bíblico.

Dada la clase de persona que era, Joe no quería sentirse incómodo siendo el único que llegaba al estudio sin Biblia. De modo que robó una. Todo lo que Rogers dijo esa noche y todo lo que Joe leyó en su Biblia robada era exactamente lo opuesto a lo que Joe había recibido desde su infancia. Al estar sentado allí, rodeado de blancos y hablando del amor de Jesús, Joe sintió como que había sido transportado a un mundo diferente.

Al acercarse la fecha del desayuno de Pascua, Rogers llegó hasta la casa de Joe para invitarlo a pasar el fin de semana con él y su esposa Johnnie. Al principio, no quiso aceptar, pero después cambió de idea. Mientras formaba la fila con otros estudiantes en la casa de los Rogers, esperando tomar su cena, recordó los tiempos en que formaba fila en los centros de caridad, para recibir un plato de comida gratis. Una pregunta volvía una y otra vez a su mente: "¿Me amaba Jesús en aquel entonces cuando yo estaba en esa fila?"

Esa tarde, Joe se acercó a Rogers y le dijo que si Jesús era real, lo quería en su vida. El 29 de marzo, el día de su nacimiento biológico, Joe se puso de rodillas y dijo: "Señor, si eres real como Rogers dice, yo quiero que tomes el control de mi vida". Joe pensó para sí: *Si Dios es real, tendrá que demostrarlo.*

Al día siguiente, Joe se presentó en la corte para enfrentar la posibilidad de una condena a 15 años de prisión por su participación en una pelea. Para su sorpresa , su abogado le informó que todos los cargos contra él habían sido retirados. Joe le preguntó cuándo había tomado esa

ayudan mutuamente, según la actividad propia de cada miembro, recibe su crecimiento para ir edificándose en amor" (Ef 4.12-16).

"En todo tiempo ama el amigo, y es como un hermano en tiempo de angustia" (Pr 17.17).

decisión. Su abogado le dijo que la decisión escrita había sido entregada el día anterior, a las autoridades nocturnas de la corte, alrededor de las 23:30. ¡La hora en que él le pedía a Dios que se hiciera cargo de su vida!

Joe se mudó a la casa de los Rogers. Durante los siguientes cuatro años, Rogers tomó como discípulo a Joe preparándolo para ser un hombre de Dios. Joe fue ordenado al ministerio pastoral, y ahora forma parte del equipo de la Asociación de Atletas Cristianos. Ahora trabaja preparando a otros, así como Rogers trabajó con él.[23]

Cada creyente dentro del cuerpo de Cristo está siendo transformado por la obra del Espíritu Santo, y el propósito para él es que ayude a otros creyentes a crecer para ser como Jesús (Pr 27.17). Esta no es una opción para los que forman parte de la iglesia; es un mandato bíblico (Ef 4.12-16).

Pero en nuestra cultura la iglesia puede perder su verdadera identidad y objetivo y pasar a funcionar como un centro social más que como una fuente de transformación y crecimiento espiritual. Lo que resulta es un complejo de entretenimiento: linda música, palabras fascinantes y corazones vacíos.

Mas el propósito para la iglesia de Dios es que sea un centro de transformación y capacitación; una plataforma de lanzamiento para enviarle a usted al mundo como una herramienta afilada, como embajador o embajadora de Cristo. Así como el herrero forja herramientas afiladas a partir del metal tosco, la iglesia, a través de la obra del Espíritu Santo, tiene el propósito de afilar a los creyentes "toscos" para su servicio, limarles las rugosidades que pueden estorbar la causa de Cristo, fortalecer a los creyentes de modo que puedan soportar las pruebas de fuego que el mundo les pone delante. Los creyentes, al unirse para animarse y apoyarse unos a otros para ser como Jesús, representan una de las más asombrosas herramientas de transformación que tiene Dios.

¿Cómo puede usted comenzar a unirse con otros creyentes? Una forma de hacerlo es a través de experiencias de adoración. Al elevar al unísono sus alabanzas personales a un Dios glorioso, los creyentes experimentan un vínculo espiritual inigualable. La presencia del Señor abunda allí donde los corazones se unen para alabarlo. Cuando todos los que están reunidos se presentan delante de Él en un mismo espíritu de humildad, igualmente sobrecogidos e igualmente agradecidos por su amor admirable, se produce una metamorfosis espiritual. Las diferencias sociales, económicas y culturales desaparecen. Las almas separadas se hacen como una. Los ángeles se regocijan. Las vidas son cambiadas para siempre. Y Dios está inmensamente satisfecho.

La unidad de espíritu, creada por la adoración, se refuerza aún más por el vínculo de persona a persona que se genera durante la comunión de la iglesia. El propósito de tener un lugar de reunión para la iglesia es que todos aquellos que entren por sus puertas sepan que allí han encontrado verdaderos amigos (Pr 17.17). Estas amistades se afianzan todavía más, a través del vínculo docente y formativo del discipulado, cuando aquel que es más maduro ayuda al más débil. Cuando aquel que conoció el dolor de la pérdida, se arrodilla junto a otro para compartir su carga. Cuando los jóvenes caminan con los ancianos; cuando los que cantan están dando voz a los que no la tienen; cuando los que descubrieron el poder de la oración enseñan a otros a orar. Los múltiples dones del Espíritu, las múltiples partes del cuerpo se hacen uno en la iglesia. Así es como Dios quiso que fuera. Y por eso la iglesia es una fuente de transformación tan poderosa para el creyente.

No vaya los domingos simplemente para ocupar un asiento. Pídale a Dios que llene su corazón, que amplíe sus dimensiones espirituales y que le afile, permitiéndole tener contacto con toda esa riqueza de sabiduría, capacidades, conocimiento, compañerismo y comunión que existen en la iglesia y en su gente. Luego, ayude a otros, dentro del cuerpo de Cristo, a crecer en la semejanza de Jesús, compartiendo con ellos la sabiduría recibida. Es a través de un diario caminar en intimidad con Jesús, que la gente en la iglesia llega a conocer el corazón de Dios. Y es al ver a Jesús en otros, que somos compelidos a pedirle a Dios que lime las partes "desafiladas" en nuestras propias vidas.

Es verdad que el hierro afila el hierro. ¿Cómo está su filo?

Esta es su vida: El proceso de ser afilado

Nombre a dos personas dentro de la comunión de los creyentes (la iglesia), que ayudaron a afilar su fe y a prepararle para el ministerio.

_____
_____
_____

¿De qué manera, el estar cerca de estas personas produjo este resultado?

_____
_____
_____
_____
_____
_____
_____
_____

LO PRINCIPAL

La iglesia es una plataforma de lanzamiento para enviarle a usted al mundo como una herramienta afilada, como embajador o embajadora de Cristo.

¿En cuáles otras áreas de su vida, Dios le mostró que necesita filo?

_____

_____

_____

_____

_____

PUNTO DE CONTROL

¿Se encontró con algún león últimamente? Recuerde: su nueva visión de eternidad le ayudará a cantar mientras los leones rugen. (Ver p. 26.)

Pídale a Dios que señale a personas en su iglesia que puedan ayudarle a afilarse en esas áreas. Escriba sus nombres y pídale a Dios que le dé la oportunidad de aprender de estas personas. Quizá sea trabajando a las órdenes de ellas en algún ministerio de la iglesia o pidiéndole a una de ellas que lo entrene como discípulo.

_____

_____

_____

_____

Ahora, piense en otra persona que Dios está preparando para que usted pueda ayudarla.

_____

¿Qué pasos puede dar hoy, para estar disponible para este hermano en la fe?

_____

_____

_____

_____

¿Qué pasos puede usted dar hoy para brindarse a alguien que no conoce a Cristo así como J. B. Rogers se brindó para alcanzar a Joe Nu'u?

_____

_____

_____

_____

Día cuatro: Ejercicios que modelan el corazón

Una joven madre creía que para ella había sido más fácil "cultivar su vida espiritual", antes de ser mamá. Ella entendía que leer la Biblia y orar eran las únicas dos actividades que "contaban" para lo espiritual. Nunca le enseñaron que la crianza de dos pequeños podía convertirse en un tipo de escuela de transformación, con un alcance mucho mayor del que alguna vez pudiera haber imaginado. De alguna manera, para ella, la "hora silenciosa" aportaba a la devoción espiritual, pero atender a dos hijos no. Los otros creyentes habían fallado al no enseñarle que sus hijitos significaban nuevas oportunidades de crecimiento que ella no había alcanzado mientras era soltera.[24]

¿Abrió usted sus ojos a la riqueza de ejercicios espirituales que Dios usa para hacerle más como Jesús? Por cierto, la lista no se limita a la oración, el estudio de la Biblia, el ayuno y la adoración, aunque todas estas herramientas son increíblemente poderosas e importantes. La nómina incluye también, aunque no se agota aquí, el ser padres, la disciplina del silencio, el servicio a otros, el cuidado del medio ambiente, la mayordomía, la soledad, la confesión, la meditación en las Escrituras y una interminable lista de oportunidades comunes y corrientes pero también extraordinarias.

Pero recuerde que el propósito de los ejercicios espirituales no es medir su espiritualidad, sino crear un camino que Dios pueda usar para acercarle a su corazón (I Ti 4.7b-8). Es sumamente importante reconocer que el más férreo compromiso para con un ejercicio espiritual no le dará un mayor grado de santidad. El crecimiento en santidad es un don de Dios (Jn 17.17; I Ts 5.23; He 2.11). Tal crecimiento, surge de la obediencia debidamente motivada por el amor a Dios y la confianza en Él. Y a través de la ejercitación de las disciplinas espirituales, Dios le fortalece para una mayor confianza y obediencia a Él, en cada aspecto de su vida.

Sin embargo, esta disciplina está acompañada de una advertencia. En su libro *The Life You've Always Wanted* [La vida que usted siempre anheló], John Ortberg advierte que hacer de las disciplinas espirituales nuestro objetivo de vida puede llevarnos a una especie de actitud rígida y mecánica de "anotar tantos espirituales". Más que preguntarse: "¿Qué es ser una persona espiritualmente disciplinada?", quizá sería más importante descubrir lo que no es.

"Una persona disciplinada no es simplemente alguien que practica muchas disciplinas", destaca Ortberg. "Una persona disciplinada no es un madrugador altamente sistemático, perseguidor de medallas de oro, que se hace una agenda rígida, y lleva un minucioso registro de sus actividades".

Los fariseos eran rígidos y organizados, pero no eran personas disciplinadas en el sentido que necesitan serlo los verdaderos creyentes que siguen a Jesús.

"Los ejercicios espirituales... no son un barómetro de espiritualidad", destaca Ortberg. "La verdadera pregunta que uno debe hacerse permanentemente, entonces, es esta: '¿Estoy yo creciendo en amor para con Dios y la gente, a través de este ejercicio?' El tema de fondo no es la clase de ejercicios que hace, sino la clase de persona en que se está transformando".[25]

Ya cerca del final de su vida, Pablo hizo un inventario de estas cosas, para ver qué clase de hombre había llegado a ser (II Ti 4.6-8). Al repasar su trayectoria de vida, Pablo consideró la ofrenda de su vida que había hecho al Dios a quien amaba con todo su corazón. Como un atleta que se había desempeñado satisfactoriamente en una competencia, Pablo había "peleado la buena batalla" –había conservado la mirada puesta en la misión de Dios para él–, había "acabado la carrera" –había recorrido todo el trayecto, aun cuando ciertos tramos habían sido difíciles–; y había "guardado la fe" –había vivido su vida cuidadosamente, según las enseñanzas de la fe cristiana–.

¿Es su vida una ofrenda a Dios? Puede serlo. Al igual que Pablo, usted es un atleta que participa en una competencia contra los poderes de las tinieblas. Pero está guiado por la luz de Jesús. Pídale a Él que use ejercicios de tipo habitual, además de los extraordinarios, para modelar su corazón. Los ejercicios espirituales son medios por los cuales Dios le transforma y Él es glorificado. Busque ser transformado a través de ellos, de manera que, como Pablo, usted pueda decir: "He peleado la buena batalla, he acabado la carrera, he guardado la fe".

Esta es su vida: *Un buen "estado" espiritual*

Señale algunos ejercicios espirituales que Dios está usando en la actualidad para modelar su vida.

_____

_____

_____

Describa cómo Dios está usando estos ejercicios para hacerle más como Jesús.

_____

_____

_____

_____

¿Qué nueva oportunidad de crecimiento tiene hoy, que no tenía hace cinco años?

_____

¿Qué impide que esta oportunidad le ayude a mejorar su estado espiritual?

_____

¿Qué nueva oportunidad de crecimiento tiene hoy, que no tenía hace dos años?

_____

¿Qué impide que esta oportunidad le ayude a mejorar su estado espiritual?

_____

¿Qué nueva oportunidad de crecimiento tiene hoy, que no tenía el mes pasado?

_____

¿Qué impide que esta oportunidad le ayude a mejorar su estado espiritual?

_____

¿Qué nuevo ejercicio espiritual está mostrándole Dios, que le permitirá a Él transformar su vida en una nueva manera creativa?

_____

Ejercicios "enlatados"

A continuación, le ofrecemos una lista de disciplinas "enlatadas" para el crecimiento espiritual:

· Guarde su televisor en el ático o clóset por seis meses.
· Regale cada día un poco de risa a alguien.
· Recoja de la calle, cada día, alguna basura.
· Propóngase no comprarse prendas de vestir por seis meses.
· Anime a otros señalando las cosas positivas, no las negativas.
· Guarde silencio cuando otra persona hable.
· Busque la oportunidad para decirle "sí" a sus hijos.
· Diga: "Buenos días, Señor" cuando despierte.
· Ore con sus hijos cada noche.

Día cinco: Las lecciones de la vida

"En lo cual vosotros os alegráis, aunque ahora por un poco de tiempo, si es necesario, tengáis que ser afligidos en diversas pruebas, para que sometida a prueba vuestra fe, mucho más preciosa que el oro, el cual aunque perecedero se prueba con fuego, sea hallada en alabanza, gloria y honra cuando sea manifestado Jesucristo" (1 P 1.6-7).

"Nuestros padres aquí en la tierra nos corregían durante esta corta vida, según lo que más conveniente les parecía; pero Dios nos corrige para nuestro verdadero provecho, para hacernos santos como él. Ciertamente, ningún castigo es agradable en el momento de recibirlo, sino que duele; pero si uno aprende la lección, el resultado es una vida de paz y rectitud" (He 12.10-11, Versión Dios Habla Hoy).

Lucas apoyó el cañón del rifle de aire comprimido sobre su hombro y se encaminó a la casa. Al andar, tropezó con un arbusto y asustó a un gato vagabundo que reaccionó arañándole seriamente la pierna. Al intentar defenderse de este ataque inesperado, Lucas dejó caer su rifle, pero tropezó con el arma al tratar de esquivar los siguientes arañazos del gato.

Desde el porche de la casa, el padre de Lucas observaba la escena haciendo un esfuerzo por contener su risa. Pero la contuvo, porque en sus brazos estaba sosteniendo a Lily, quien gracias a su hermano mayor, también estaba pasando un mal día. Desconsolada, la pequeña abrazaba a su muñeca favorita, cuya cara antes perfecta, ahora ostentaba innumerables perforaciones de balines de aire comprimido. La muñeca no lloraba, pero Lily estaba llorando a gritos. Lucas, mientras caminaba en dirección a su padre y hermana, hacía lo imposible por contener sus propias lágrimas. Pero cuando vio a Lily, la muñeca acribillada y la mirada de su padre entendió que la situación podía tornarse más dolorosa todavía.

Su papá transfirió a Lily a los brazos de su madre y le señaló a Lucas el camino hacia el interior de la casa, al baño. Allí, con mucha ternura le desinfectó los rasguños; luego se levantó y dio varios toques bastante fuertes, con su dedo pulgar e índice juntos, en la cabeza de Lucas.

Lucas se encogió. "Papá, ¿cómo puedes curarme los rasguños y darme coscorrones en la cabeza al mismo tiempo?"

"Puedo hacer las dos cosas porque te quiero, Lucas. Ahora, quiero que me escuches, y que me escuches bien. No pudiste evitar ese gato; no tenías idea de que estaba en ese arbusto y fuiste víctima de su mal genio. Es mi deber desinfectar tus heridas y vendarlas y ayudarte a sacar una enseñanza de experiencias como esta. Pero ese coscorrón va por usar la muñeca de tu hermana como blanco de práctica. Es mi deber ayudarle a ella a superar este dolor y enseñarle que a veces la gente hace cosas malas sin tener en verdad una buena razón. También es mi deber castigarte para que la próxima vez pienses dos veces antes de hacer algo así".

"¿De manera que el coscorrón es mi castigo?" preguntó Lucas sin poder ocultar su esperanza de que así fuera.

"Buen intento, muchacho. Pero ese coscorrón era solamente para llamarte la atención. Eso sólo molesta por un momento; la disciplina tendrá un efecto más duradero". Terminó de curar y cubrir los rasguños, y luego tomó el rifle de aire que había quedado en un rincón del baño. "Esto va a quedar bajo llave por tres meses, o quizá más. La próxima vez que lo tengas en tus manos, espero que elijas un blanco más apropiado. Ahora, ve a buscar tus ahorros. Vas a comprar una muñeca".

Lucas se estremeció. No iba a poder participar, junto con sus amigos, en el concurso de tiro al blanco con rifles de aire comprimido que tendría lugar al día siguiente, y tampoco podría comprar ese juego de vídeo que tenía pensado. Pero en el fondo de su corazón sabía que su papá tenía razón. Mientras Lucas salía del baño y se pasaba la mano por el lugar del coscorrón, le dijo a su padre: "Papá, lo siento. Supongo que debo pedirle perdón a Lily también, ¿no?"

"Creo que sería una muy buena idea, y mientras haces eso, me gustaría saber cómo pensabas que ibas a escapar sin castigo después de llenar de agujeros la muñeca de tu hermana"- agregó su padre sonriendo.[26]

Nos guste o no, la vida está llena de un gran número de circunstancias inevitables que causan dolor, y sin duda también, de toda una cantidad de malas elecciones que son evitables y que necesitan ser tratadas con disciplina. Debido a su amor incondicional por usted, Dios usa tanto las circunstancias como la disciplina para transformarle a la imagen de su Hijo. (I P 1.6.7; He 12.10-11). A menudo, las circunstancias duras se presentan por el solo hecho de vivir en un mundo que no es perfecto.

Dedique un momento a recordar alguna ocasión en que fue víctima de un hecho inevitable. Describa ese hecho y cómo se sintió.

_____
_____
_____

En ese momento, posiblemente usted quiso que la situación cambiara. Pero es muy probable que el dolor o las consecuencias de ese hecho hayan permanecido. ¿Cómo resolvió la situación?

_____

¿Qué quiso Dios que usted cosechara como resultado de esa circunstancia inevitable?

_____

Si hoy volviera a encontrarse en una situación parecida, ¿cuál sería una manera diferente de manejarla y por qué piensa que podría hacerlo?

_____
_____

Como un buen padre, Dios usa las circunstancias, los altibajos de la vida misma, como una herramienta de enseñanza, una fuente de transformación. Estas experiencias nos cambian para siempre y nos capacitan mejor para vivir como Jesús. Como resultado, estamos en mejores condiciones de ayudar a otros que pueden estar pasando por situaciones

"Y sabemos que a los que aman a Dios, todas las cosas les ayudan a bien, esto es, a los que conforme a su propósito son llamados[...] Si Dios es por nosotros, ¿quién contra nosotros? El que no escatimó ni a su propio Hijo, sino que lo entregó por todos nosotros, ¿cómo no nos dará también con él todas las cosas?[...] Antes, en todas estas cosas somos más que vencedores por medio de aquel que nos amó. Por lo cual estoy seguro de que ni la muerte, ni la vida, ni ángeles, ni principados, ni potestades, ni lo presente, ni lo por venir, ni lo alto, ni lo profundo, ni ninguna otra cosa creada nos podrá separar del amor de Dios, que es en Cristo Jesús Señor nuestro" (Ro 8.28, 31b-32, 37-39).

Dios usa tanto las circunstancias como la disciplina, como herramientas para hacerle más como Jesús.

PUNTO DE CONTROL

Recuerde lo que consideramos en el Día dos de esta semana (p. 53). ¿Qué sabiduría divina recibió recientemente, a través de un familiar u otra persona que Dios puso en su vida? Resuma esa sabiduría a continuación.

_____

_____

_____

_____

_____

_____

_____

_____

_____

_____

_____

parecidas. Como la madre que sostenía en sus brazos a su hija desconsolada ante la muerte de su esposo, consolándola porque ella misma había conocido ese dolor, usted también puede transitar con otra persona senderos que ya conoció. La verdadera transformación espiritual, no es sin lucha y dolor. La vida y muerte de Jesús, son un claro ejemplo de ello. Pero al confiar en Dios y obedecerlo en medio de los problemas, esos momentos de prueba pueden convertirse en tierra de cultivo para milagros que transforman el corazón (Ro. 8.28, 31b-32, 37-39).

Por supuesto, están las circunstancias inevitables; pero además está la aflicción que uno mismo amontona sobre su cabeza. A la vez que es imposible vivir sin enredarse en situaciones desagradables, es cierto que uno tiene una gran medida de control sobre las elecciones que traen como consecuencia la disciplina de Dios. Es triste pero cierto que muchas de las grandes lecciones de la vida se aprenden al hacer malas elecciones. Es en esas circunstancias que Dios usa la disciplina amorosa para podarle como a un árbol y modelarle. Como en el caso del pequeño Lucas, es probable que en el proceso pierda cosas que le son muy especiales, pero lo que uno pierde palidece al compararlo con lo que significa ganar la sabiduría y el corazón de Jesús.

Y recuerde esto: así como un padre no obtiene satisfacción personal alguna al disciplinar a un hijo, Dios no está esperando que usted cometa un error para alegrarse y sorprenderlo. Pero cuando sí le disciplina y le indica la dirección correcta, téngalo como un motivo de tranquilidad, que alguien que le ama de verdad y quiere lo mejor para usted se está tomando el tiempo de hacerlo. La disciplina de Dios podrá no ser divertida, pero puede ayudarle a convertir su corazón en uno parecido al de Él.

Esta es su vida: _El rostro de la disciplina_

Describa una oportunidad en su vida, en la cual se encontró con la disciplina amorosa de Dios.

_____

_____

¿Cómo usó Dios esa situación, para hacerle más como Jesús?

_____

_____

Un momento con el Señor

Jesús estaba en gran angustia. Lo que tenía adelante parecía demasiado grande para soportar: inmenso dolor físico, el peso de los pecados de todo el mundo sobre sus hombros y, lo peor de todo, la primera vez que estaría totalmente separado de su Padre Celestial. Esto último, seguramente lo hizo temblar de miedo. Allí en la oscuridad del Getsemaní, Jesús le pidió a Pedro y a Juan que oraran fervientemente. Les dijo con toda claridad que estaba "muy triste, hasta la muerte". Pero esos hombres, que en otros momentos caminaron muchos kilómetros con Él, en esta oportunidad no dieron ese paso. En cambio, se durmieron. Lucas nos cuenta que Jesús *"se apartó de ellos a distancia como de un tiro de piedra"* (Lc 22.41a), y que allí, *"puesto de rodillas oró, diciendo: Padre, si quieres, pasa de mí esta copa; pero no se haga mi voluntad, sino la tuya"* (Lc 22.41b-42).

Habrá momentos en su vida en que la carga se haga tan pesada que necesite ir a "un tiro de piedra" más lejos de lo que alguna vez haya ido antes. ¿Qué sucede cuando uno está dispuesto a llegar a esta profundidad con Dios?

1. Siempre entrará a la presencia de Dios absolutamente solo.

2. Es allí, en el lugar más profundo, que usted aprenderá que las cargas se van con la oración. El escritor de Hebreos dice: *"Y Cristo, en los días de su carne, ofreciendo ruegos y súplicas con gran clamor y lágrimas al que le podía librar de la muerte, fue oído a causa de su temor reverente"* (He 5.7). Lucas, dice de Jesús: *"Y estando en agonía, oraba más intensamente; y era su sudor como grandes gotas de sangre que caían hasta la tierra"* (Lc 22.44). Esto se llama oración profunda, en la que se derrama el alma.

3. Es yendo un poco más lejos, que encontrará la voluntad de Dios. Cuando Jesús usó el saludo *"Abba, Padre"*, estaba expresando el clamor más íntimo y desgarrador que existe. Y Dios le dio a Jesús, la más íntima de las respuestas: Su muerte era el único camino a la vida.

4. Cuando usted va un poco más profundo, encuentra la ayuda del cielo. Disipada ya toda duda, Jesús tenía el poder necesario para enfrentar lo que le esperaba. *"Y se le apareció un ángel del cielo para fortalecerle"* (Lc 22.43).

5. Cuando haya ido un poco más profundo, estará preparado. *"Levantaos, vamos"*, le dijo Jesús a sus discípulos que dormían. *"Ved, se acerca el que me entrega"* (Mt 26.46). Jesús estaba preparado para su arresto, juicio y muerte porque había sido fortalecido y había recibido confirmación de la voluntad de Dios para Él. Los discípulos no estaban preparados; el tiempo de la preparación lo habían pasado durmiendo. ¿Está usted dedicando un tiempo intenso a la oración de manera que, usted también, estará preparado para hacer la voluntad de Dios? ¿O está durmiendo?

Jesús estaba preparado

"Y para terminar ..."

Al llegar al final del estudio de esta semana dedique algunos minutos a repasar las lecciones.

¿Qué es, a su juicio, lo más importante que Dios le enseñó esta semana?

_____

_____

_____

_____

¿Cuál le parece que sería la acción más importante que Dios querría verle llevar a cabo, como resultado del estudio de esta semana?

_____

_____

_____

Dedique un tiempo a la oración. Agradezca a Dios por hablarle a través de su estudio y pídale que le ayude a incorporar a la práctica de vida lo que está aprendiendo.

Semana 4
Su corazón visible

La siguiente anécdota, se cuenta de David Lanier que vivía exactamente frente a la entrada para pacientes clínicos del Hospital Johns Hopkins, en Baltimore, EE.UU. de Norteamérica. Él y su familia vivían en la planta baja y alquilaban las habitaciones superiores a pacientes externos que venían a tratarse en el hospital. Cierto día, llamó a la puerta un anciano encorvado y arrugado, no más alto que un niño. La mitad de su cara estaba roja, inflamada y supuraba un líquido amarillento.

Sin embargo, la voz del anciano sonó agradable cuando dijo: "Buenas noches, me llamo Seth. Quisiera saber si tiene una habitación, sólo para una noche. Vine esta mañana desde la costa oeste para tratarme en el hospital y hasta la mañana no tengo transporte para regresar". Seth explicó que había estado buscando alojamiento desde el mediodía, pero sin éxito. "Supongo que el motivo es mi cara, sé que se ve horrible, pero el doctor dice que con un par de curaciones más..." Por un momento David dudó, pero las palabras siguientes del anciano le derritieron el corazón: "Podría dormir en este sillón, aquí en el porche. Mi autobús sale temprano en la mañana".

Aunque las habitaciones superiores estaban todas ocupadas, David le dijo a Seth que le encontraría una cama. Mientras conversaban en el porche esa noche, David pronto descubrió que el cuerpo consumido y arrugado de ese anciano de aspecto tan feo, albergaba un corazón enorme y bello. Seth le explicó que pescaba para sostener a su hija, sus cinco nietos y su yerno, que había quedado totalmente inválido. No lo contó a manera de queja; por el contrario, cada expresión estaba precedida por un agradecimiento a Dios por tal o cual bendición. Seth estaba muy agradecido porque su mal (una especie de cáncer de piel) no le causaba dolor y daba gracias a Dios por las fuerzas que le concedía para mantenerse activo. A la hora de dormir, David le preparó al anciano un catre en la habitación de los niños, a quienes el aspecto de la cara del anciano no pareció preocuparles para nada.

Cuando Seth partió a la mañana siguiente, David le dijo que sería bienvenido cualquier otra vez que necesitara tratamiento en el hospital. En su siguiente viaje, Seth trajo casi un kilo de ostras, de las más grandes que David había visto en su vida. Seth dijo que las había desbullado esa misma mañana, para que estuvieran bien frescas. David sabía que el autobús de Seth salía a las 4:30 de la mañana, de modo que se preguntó a qué hora se habría levantado el anciano, para preparar las ostras. A lo largo del año en que Seth vino a pasar la noche en casa de David, no hubo oportunidad en que no viniera cargado de verduras frescas de su propia huerta. Otras veces recibían paquetes por entrega especial del correo: pescado fresco cuidadosamente embalado en un cajón de repollos. El saber que el anciano tenía que caminar varios kilómetros para despacharlos y el saber con cuán poco dinero contaba, hacía que estos regalos fueran doblemente preciosos.

Cuando David recibía estas muestras de afecto, a menudo recordaba un comentario que le hizo su vecino a la mañana siguiente, después que Seth se quedara la primera vez.

"¡Anoche le diste alojamiento a ese viejo repulsivo! Yo le había dicho que no. ¡Si uno aloja a personas así, puede perder pensionistas!"

Es posible que David haya perdido algún par de pensionistas. Pero si esos pacientes solamente hubiesen conocido a Seth, quizá los males que sufrían hubiesen sido más fáciles de sobrellevar. La familia de David siempre estará agradecida por haber conocido a Seth. De él aprendieron lo que significa aceptar lo malo sin quejarse, y lo bueno con gratitud a Dios.

Recientemente, David visitó la casa de una amiga que tiene un invernadero. Cuando le estaba mostrando sus flores, llegaron a la más hermosa de todas, un crisantemo dorado, totalmente abierto. Ante el asombro de David, ¡estaba plantado en un viejo balde oxidado que se caía a pedazos! "Si esta fuera mi planta", pensó David para sí, "la tendría en la mejor maceta que tuviese".

Su amiga le hizo cambiar de opinión.

"Me quedé sin macetas", comentó, "y sabiendo lo bella que resultaría esta planta, pensé que no le molestaría comenzar en un balde viejo. Es sólo por un tiempo; hasta que pueda trasplantarla al jardín".

Ella debe haberse preguntado por qué razón David rió de tan buena gana, pero es que él se estaba imaginando una escena así en el cielo.

"Aquí hay una muy hermosa", diría Dios al llegar el alma de Seth. "No creo que le moleste comenzar en este cuerpo enjuto".

Y ahora, en el jardín de Dios, ¡qué imponente y majestuosa debe verse esta alma preciosa! [27]

La semana pasada estudiamos las herramientas que Dios usa para transformar el corazón. Esta semana, consideraremos aquellas cosas que revelan la existencia de un corazón transformado, de manera que usted pueda reconocer en su propia vida la belleza de Seth, cuyo corazón reflejaba el corazón de Dios. Porque es a través de hombrecillos feos y de personas como usted y yo, que *"Dios quiso dar a conocer las riquezas de la gloria de este misterio entre los gentiles; que es Cristo en vosotros, la esperanza de gloria"* (Col 1.27).

La dimensión del discipulado, es la medida en que un creyente se parece a Jesús. Que pueda usted reconocerse a sí mismo, en las páginas siguientes.

Día uno: Un ejemplo que alumbra

Irene Webster Smith, perteneció a una familia pobre de Inglaterra, y tuvo que trabajar en el servicio doméstico desde muy joven. Un día oyó el mensaje del evangelio y le pidió a Jesús que la recibiera como uno de sus hijos. Desde ese momento, a Irene le encantó escuchar cuando los misioneros contaban acerca de la obra de Dios en lugares distantes. Oró para que Dios hiciera posible que un día ella sirviera como misionera. Sin embargo, aunque se ofreció a diversas organizaciones misioneras, a Irene nunca la aceptaron como misionera porque no tenía la educación necesaria. Pero un día, un grupo misionero en Japón publicó un aviso buscando una persona que atendiera las tareas domésticas para una misionera soltera. Por su buen carácter y excelentes referencias, Irene fue aceptada como casera. Trabajó con empeño en la limpieza de pisos, platos y baños; y con el mismo empeño se dedicó a aprender el difícil idioma japonés.

Irene pronto descubrió que a las niñas japonesas que nacían y no eran deseadas, a menudo las mataban o vendían a los prostíbulos, donde pasarían toda su vida en cautiverio. Llegó un momento en que sintió el llamado de Dios para traer a la casa, que mantenía inmaculada, a una niñita japonesa rechazada por sus padres. Antes de pasar mucho tiempo, Irene se encontró comprando a otras bebas japonesas que se vendían a los prostíbulos. La misión contempló con cierto desagrado este ministerio y finalmente le retiró a Irene su sostén económico. Pero Irene no se amilanó; y en su corazón supo perfectamente bien que no estaba sola. Aunque sus manos estaban enrojecidas y ásperas por el trabajo diario, su corazón era una belleza. Era una mujer de oración y fe, bajo el total señorío de Cristo. Por su tierna obediencia, Dios le proveyó el dinero para orfanatos, iglesias y escuelas en Japón. Llegó a ser una de las más famosas misioneras cristianas en la historia de Japón y la única a la que se le confió enseñar a la familia real. Los japoneses la llamaron Sensei, que quiere decir "honorable maestra".

Sensei fue la última misionera en abandonar Japón durante la Segunda Guerra Mundial y la primera en recibir su pasaporte para volver al finalizar la guerra, a petición del General MacArtur, el Comandante de la Ocupación Militar. Era una obrera diligente, dondequiera que Dios la pusiera. Ya sea que sostuviera un cepillo para limpiar, o la mano de un niño, Sensei era una vasija para la gloria de Dios. Y por su obediencia, vidas fueron cambiadas para siempre.[28]

Alumbrar con amor, confianza y obediencia, ya sea que uno esté compartiendo su testimonio o fregando un piso, es la evidencia de un corazón que descansa en los brazos de Dios (II Ti 2.21; Jn 14.21; II Co 4.6).

DEL LIBRO

"Así que, si alguno se limpia de estas cosas, será instrumento para honra, santificado, útil al Señor, y dispuesto para toda buena obra" (2 Ti 2.21).

"El que tiene mis mandamientos, y los guarda, ése es el que me ama; y el que me ama, será amado por mi Padre, y yo le amaré, y me manifestaré a él" (Jn 14.21).

"Porque Dios, que mandó que de las tinieblas resplandeciese la luz, es el que resplandeció en nuestros corazones, para iluminación del conocimiento de la gloria de Dios en la faz de Jesucristo" (2 Co 4.6).

LO PRINCIPAL

El corazón radiante que ama a Dios, confía en Él y lo obedece, nunca quedará opacado. Es un faro a los perdidos, que lleva gloria al nombre de Dios.

Quizá su vida no esté resultando de la manera en que lo soñó; quizá no esté ni siquiera cerca de donde usted pensó que estaría para este tiempo. No importan sus circunstancias, sepa esto: Dios puede alumbrar a través de usted, dondequiera que esté, no importa qué esté haciendo. Si su corazón está totalmente rendido a Él, entonces a toda hora del día y de cada día, Dios está complacido con su vida y es glorificado por ella. Sin duda, usted podrá estar lejos de lo que Él quiere hacer de su vida para el futuro, pero está totalmente complacido con usted allí donde está, con tal que lo ame, confíe en Él y obedezca su guía.

Piénselo de esta manera: un bebé complace plenamente a su mamá como infante, no obstante, está lejos de ser lo que su madre desea para él o ella cuando lleguen los años de la madurez. Concédase tiempo para crecer, pero pídale a Dios que alumbre a través de usted dondequiera que esté. Como una obra creativa de Dios "en ejecución", viva con sencillez el principio de la confianza en el Dios que primeramente le creó en el vientre de su madre y que luego le volvió a crear a la imagen de su perfecto Hijo. Es probable que no siempre entienda los métodos de Dios, pero si por fe descansa en su propósito divino, llevará a Dios gloria a su nombre y una sonrisa a su rostro. Y esa gloria atraerá a otros a Él.

En el gran plan de la transformación de las cosas, la parte que a usted le toca es confiar; la parte de Dios es llevar a cabo los resultados. Y cuando usted cumple con su parte, Él nunca deja de hacer lo propio. Dios nunca le da de menos a sus hijos, de modo que nunca se aflija por su "status" en la vida. Confíe en Dios cada día. La cosa no termina allí. La confianza es el fundamento inicial y permanente. Cuando uno confía, el Señor obra; y su obra es la parte importante de todo este tema.

El rostro repulsivo del pescador no podía ocultar la realidad de que su corazón era mucho más grande y muchísimo más bello que su cuerpo consumido. El corazón radiante de Sensei no podía quedar opacado por el polvo que barría. Y en usted, su corazón transformado no puede quedar oculto por el barro que salpica su vida. La gloria de Dios no puede quedar oculta cuando existe amor, confianza y obediencia.

Esta es su vida:
Más allá de las imperfecciones

Considere su vida. ¿Ha dejado de confiar en Dios para todo, todo el tiempo, al ver que su vida no resultó como usted esperaba? Recuerde: usted apenas puede ver el borde imperfecto del tapiz de su vida. Dios maneja el panorama completo. Si usted no ha sido consecuente en amarlo, confiar en Él y obedecerlo con todo su corazón, pídale ahora mismo que le perdone.

Como un ejercicio de fe y confianza, describa a continuación lo que siempre soñó hacer. Luego, describa dónde está ubicado en su vida hoy. Deténgase, y dé gracias a Dios por el lugar en que está. Finalmente, señale aquellas maneras en que Dios puede usarle en este momento como una vasija para su gloria.

Mi sueño —

_____
_____
_____
_____
_____

Mi lugar hoy —

_____
_____
_____
_____
_____
_____

Maneras en que Dios puede usarme ahora —

_____
_____
_____
_____

PUNTO DE CONTROL

¿Qué nuevas oportunidades espirituales incorporó a su vida este mes?

_____
_____
_____

¿Cómo las utilizó Dios para cambiarle?

_____
_____
_____
_____
_____
_____
_____

Día dos: Poner la Palabra en práctica

"Cuando Jenkins vino a decirme que ahora tenía una religión, quiso arrodillarse y besar mis pies porque yo había sido una esclava. Él quería humillarse ante mí. Le dije: Si no te vas de aquí te voy a dar una patada en la boca. La religión eleva el corazón, te ennoblece, no te hace un loco', le dije. Si yo fuera tú, revisaría para ver qué es lo que recibiste'".[29]

¿Qué recibió usted "realmente"? En esta autobiografía de ficción, Jane Pitman da en el clavo cuando explica, a su manera muy particular, que Mack Jenkins necesitaba deshacerse de su religión y tener una relación personal con el Señor. Porque la transformación espiritual no tiene nada que ver con grandes demostraciones. Las enseñanzas de Jesús saturan cada aspecto de su vida. Se trata de poner en práctica sus palabras, todo el día y todos los días, no solamente hablarlas. La religión puede, sí, llevarle a querer besar pies y hacer cosas estrafalarias; pero la relación no es un teatro. La intimidad de la relación toma su corazón de piedra y lo transforma en un corazón de gracia. Como creyente verdaderamente transformado, usted vive lo que ha guardado en su interior, ama a Dios y a los demás de la manera en que Jesús los amó y usted lleva fruto en virtud de quién es su Señor, no en virtud de quién lo está mirando (Jn 15.8).

En Mateo 11.28-30, Jesús dice: *"Venid a mí... aprended de mí... y hallaréis descanso para vuestras almas"*. ¿Le lleva usted cada decisión a Jesús; cada pregunta, cada relación que establece con otros, para ser guiado por la sabiduría que hay en las Escrituras? ¿Para así poder descansar en la certeza de que las decisiones que toma son agradables a Dios? La pregunta: "¿Cómo afectará esto mi relación con Jesús?", es el cristal a través del cual usted debe contemplar cada aspecto de su vida. Esta actitud debe llevarle a las Escrituras para descubrir allí respuestas bíblicas a los problemas cotidianos. Una vida así fundamentada en los principios bíblicos tendrá un impacto notable en todo lo referente a sus relaciones interpersonales: esposa-esposo, padre-hijo, amigos, compañeros de trabajo y la familia de la iglesia, así como también sobre los perdidos y la sociedad en general. Producirá en usted el fruto del Espíritu: amor, gozo, paz, paciencia, benignidad, bondad, fe, mansedumbre y templanza, las cuales, a su vez, producen más fruto. Porque cuando la Palabra de Dios impregna sus acciones, el "buen fruto" se produce dondequiera que usted esté, con quienquiera que esté y en todo lo que haga (Mt 12.33).

Piense en las dos últimas decisiones importantes que tomó en su vida. Escríbalas a continuación.

_____

_____

Describa la manera en que cada una de esas decisiones afectó su relación con Jesús. ¿La fortaleció? ¿La debilitó?

_____

_____

_____

¿Cuál fue el proceso a través del cual llegó a esas decisiones?

_____

_____

_____

¿Le parece que el haberse preguntado: "¿Cómo afectará esto mi relación con Jesús?" habría cambiado las decisiones que tomó? Si es así, ¿en qué manera?

_____

_____

_____

El fundamento del discipulado, es un cambio interno, de corazón, que se exterioriza en la conducta de vida. Comprométase hoy a usar el cristal de las Escrituras como el filtro para su vida y el mundo que le rodea. Ningún aspecto de su vida en general está desvinculado de su vida espiritual, o por lo menos no debiera estarlo. Jesús, le dio un libro guía para enseñarle cómo vivir. Absórbalo y exteriorícelo en voz alta con su vida. Es la esencia de quién es usted en Cristo y la evidencia para los demás de que usted, también, conoce de corazón al sabio y maravilloso Jesús.

Esta es su vida: La pregunta del día

A medida que transcurre el día, analice cada decisión que deba tomar (ya sea terminar algún proyecto, pasar un semáforo en amarillo, dar unas monedas a uno que pide u ofrecerse como voluntario para un proyecto de la iglesia), a través de esta pregunta: "¿Cómo afectará esto mi relación con Jesús?" Posiblemente se encuentre hoy tomando decisiones distintas de las que tomó ayer.

LO PRINCIPAL

La transformación espiritual no tiene nada que ver con grandes demostraciones. Las enseñanzas de Jesús saturan cada aspecto de su vida.

PUNTO DE CONTROL

Señale tres maneras en que Dios alumbró a través de usted durante esta semana.

_____

_____

_____

_____

_____

_____

_____

_____

Día tres: Muchas voces, un solo llamamiento

Susana da un largo rodeo por otros pasillos para llegar a la sala de reuniones; no quiere pasar frente a la oficina de Nancy porque *"no soporto esa actitud de superioridad espiritual que te hace sentir"*. Gabriel retuvo cierta información clave que Julián necesitaba porque este no quiso votar lo que Gabriel propuso en la última reunión de planificación. Julián no quiere ayudar a Gabriel a terminar un trabajo dentro del plazo que lo presiona porque tiene un punto de vista diferente sobre la manera de manejar el proyecto. Aníbal está enojado con Virginia, porque se fue a su casa sin terminar todo lo que él le dejó anotado para hacer...

Suena como un típico ambiente de oficina, donde el que puede le "mueve el piso" al otro y donde en cualquier momento le clavan a uno un puñal por la espalda, ¿no? Bien puede ser su iglesia local. Lamentablemente, el cuerpo de Cristo a veces es un caldero de disputas, traiciones, manipulación, rivalidades y disensiones. Eso, no es lo que Dios quiere. Y por cierto no es lo que el mundo necesita. Lo que el mundo necesita y Dios quiere es unidad en el cuerpo de Cristo. Esa unidad ejemplificada en la relación del Padre y el Hijo: la unidad que demuestra el vínculo en el espíritu, un mismo sentir con respecto al mismo objetivo (Jn 17.11).

Un corazón como el de Él, es el lugar de cultivo de esa unidad. Renuncia al egoísmo y trabaja en favor de la unidad, como un testimonio poderoso de la realidad del amor desinteresado de Dios; a pesar de ser un crisol de personalidades, opiniones, dones y perspectivas. Da por entendido que existen muchas voces diferentes en el cuerpo de Cristo, pero un solo llamamiento. Y ese llamamiento es glorificar a Dios (Ef 4.1-6).

¿Cómo puede uno reconocer si el suyo es un corazón despojado de todo egoísmo, sensible a su llamamiento? Un corazón así, cultiva la unidad en el cuerpo de Cristo y lo hace orando por otros creyentes, evitando los chismes, edificando a los demás, trabajando juntos en humildad, exaltando a Cristo y negándose a perder los objetivos discutiendo sobre nimiedades. Es un corazón pacífico, no un corazón combativo. ¿Cómo le suena eso?

Resuma brevemente, un caso reciente de diferencia de opinión que haya tenido con otro creyente.

_____

_____

_____

¿Cuál fue la causa de fondo del desacuerdo?

_____

_____

¿Cree que Dios resultó glorificado por la manera en que enfrentaron la situación?

_____

Si en lugar de cumplir su objetivo inmediato, su propósito hubiese sido mantener la unidad en el espíritu (y así glorificar a Dios), ¿piensa que habría actuado de otra manera, y que los resultados podrían haber sido diferentes? Si es así, ¿cuáles habrían sido ambos?

_____

_____

_____

¿Necesita acercarse a esa persona, para restaurar la unidad en la relación entre ustedes? Si es así, escriba el nombre de ella, a manera de compromiso para sanar, en esta semana, esa fractura en el cuerpo de Cristo.

_____

Jesús demostró humildad y negación de sí mismo, en su relación con la iglesia y su sacrificio por ella. No quiere decir que haya sido un títere a quien todos podían llevar por delante. Al contrario. Pero su conducta siempre se fundamentó en su llamamiento: glorificar a Dios. Su capacidad de amar y de entregarse en sacrificio por los demás, encontraba su fuente de poder en su constante unidad con Dios. De igual manera, nuestra unidad con otros dentro del cuerpo de Cristo encuentra su fuente de poder en el Espíritu Santo, que liga a los creyentes en una relación especial y dedicada con el Padre, unidos como una sola familia espiritual. Si usted está viviendo en unidad con Dios, va a vivir en unidad con otros. Es solamente cuando usted permite que sus intereses personales gobiernen su vida, que esa unidad con los otros se quiebra (Ro 15.5-7).

Las disputas, el señalar con el dedo, la traición, la difamación, comerse las uñas y restregarse las manos, no glorifican a Dios. (Pero sí hacen que Satanás baile loco de contento.) Mire a su alrededor. ¿Es usted una fuerza unificadora o una causante de división? ¿Está Dios siendo glorificado por sus acciones o está usted haciendo de "disc-jockey" para el baile de Satanás?

El amor de Jesús supera toda envidia, celos, frustración y egoísmo; todo lo cual es la raíz de mucha disensión en el cuerpo de Cristo (Fil 2.1-6). Y

"Pero el Dios de la paciencia y de la consolación os dé entre vosotros un mismo sentir según Cristo Jesús, para que unánimes, a una voz, glorifiquéis al Dios y Padre de nuestro Señor Jesucristo. Por tanto, recibíos los unos a los otros, como también Cristo nos recibió, para gloria de Dios" (Ro 15.5-7).

"Por tanto, si hay alguna consolación en Cristo, si algún consuelo de amor, si alguna comunión del Espíritu, si algún afecto entrañable, si alguna misericordia, completad mi gozo, sintiendo lo mismo, teniendo el mismo amor, unánimes, sintiendo una misma cosa. Nada hagáis por contienda o por vanagloria; antes bien con humildad, estimando cada uno a los demás como superiores a él mismo; no mirando cada uno por lo suyo propio, sino cada cual también por lo

de los otros. Haya,
pues, en vosotros este
sentir que hubo
también en Cristo
Jesús"
(Fil 2.1-6).

LO PRINCIPAL

**El cuerpo de Cristo
está lleno de
muchas voces
diferentes, pero
estamos llamados a
cantar la misma
canción: Gloria a su
nombre.**

**PUNTO DE
CONTROL**

Repita de memoria
2 Corintios 3.18.
Encuentre este
versículo en la
página 6.

este amor dirige a la iglesia a su objetivo fundamental: glorificar a Dios. El corazón visiblemente transformado presta oído a este llamamiento y extiende sus manos para tomar las de otros creyentes (creyentes con diferentes puntos de vista, diferentes dones, de diferentes razas y con diferentes maneras de trabajar), de manera que juntos puedan cantar al unísono:

> *Somos uno en el Señor,*
> *En el vínculo del amor,*
> *Al unir nuestro espíritu al Espíritu de Dios*
> *Somos uno en el Señor.*[30]

Conocer a Jesús de corazón es aceptar su señorío en todas las áreas de la vida y compartir sus valores, sus puntos de vista y su compromiso de amar a otros creyentes. Es cierto, no siempre resulta fácil. Con algunas personas, edificar la unidad puede tomar muchos años de oración. Pero Dios puede crear unidad aun allí donde usted cree que es imposible. Y cuando se produzca se sorprenderá de saber que la persona que más cambió es usted.

Hay muchas voces en el cuerpo de Cristo, pero solamente un genuino llamado. Que pueda usted crecer para amar esa melodía única y especial que hace cada uno al glorificar a Dios juntos.

Esta es su vida: *"Señor, hay una mosca en mi sopa"*

¿Quién es su "mancha en la corbata"? ¿El palo en la rueda? ¿La mosca en su sopa? ¿Ese hermano o hermana que le hace crujir los dientes? Escriba el nombre de esa persona.

_____

¿Está dispuesto o dispuesta a orar por esta persona todos los días, durante las próximas dos semanas? No le pida a Dios que cambie a esta persona. Pídale que le cambie a usted la actitud de su corazón para con esta persona, de manera que Él pueda crear la unidad entre los corazones de ambos. Al hacer esto, usted está honrando el llamamiento de Cristo; y puede llegar a sorprenderse de lo que Dios puede hacer con ustedes dos. Si se compromete delante de Dios, a orar todos los días durante las próximas dos semanas por "la mosca en su sopa", firme abajo.

_____

Día cuatro: Un mundo de diferencia

Madonna y la Madre Teresa. Dos mujeres con enfoques de la vida totalmente diferentes. Madonna, la chica materialista, hizo millones de dólares persiguiendo su satisfacción personal. El mundo la considera un éxito debido a los millones que amasó; y quizá también por los millones de personas a quienes alborotó con su conducta provocativa. La Madre Teresa, durante toda su vida, difícilmente tuvo dos monedas en el bolsillo; y si las tuvo se las dio a los pobres. Se dedicó a derramar el amor a todo aquel que encontraba en su camino. Esto no era para ella la tarea de su vida; era su estilo de vida. Amar a los demás como el buen samaritano los amaba, servir en cualquier lugar en que se encontrara, era el llamamiento de su religión para ella. Y era feliz cumpliéndolo. Su gozo interior afloraba en todo momento alcanzando a todo aquel que tocaba. Hasta los materialistas, cegados por la avaricia, reconocieron la riqueza de su espíritu humanitario.

En el futuro, Madonna quizá sea reconocida por haber hecho alguna declaración. Pero la Madre Teresa será reconocida por haber hecho la diferencia.

Usted, ahora, como un verdadero creyente transformado, está llamado a marcar una diferencia en este mundo (Jn 17.4-5).

Dios le llamó para ver al mundo de la manera en que Jesús lo vio; a amar de tal forma a los perdidos, que Dios pueda hablar su mensaje de amor redentor a través de usted. Dios le llamó a ser un cristiano o una cristiana contagioso, de esos que propagan el amor de Dios a cada persona con la que se encuentran. Le está llamando a vivir su vida de tal manera, que aquellos a quienes usted toca para Él, toquen a su vez a otros y ellos a muchos otros más. A través de esta clase de cristianismo contagioso, el amor de Dios se extiende como una vigorosa vid "kudzú" que crece a pasos agigantados cada día.

Pero mientras está amando a los perdidos del mundo, tenga cuidado de no quedar atrapado en el lodazal del mundo. Tenga presente, así como Jesús también lo tuvo presente, que su corazón, alma, mente y conducta, le pertenecen a Dios, y necesitan mantenerse alejados de las seducciones del mundo. De otro modo, el barro en el cual sirve, puede ser el barro que le hace resbalar y caer (Jn 17.15-18).

¿Cómo puede uno mantenerse firme? Su mente y su corazón necesitan fortalecerse permanentemente, a través de una relación diaria y creciente con Jesucristo, un proceso continuo de aprendizaje que asegure una base y asidero firme; aun cuando la mugre y el barro del mundo le rodeen haciendo olas (Ro 12.1-2). Su relación personal con Cristo le lleva

---

DEL LIBRO

"Yo te he glorificado en la tierra; he acabado la obra que me diste que hiciese. Ahora pues, Padre, glorifícame tú al lado tuyo, con aquella gloria que tuve contigo antes que el mundo fuese"
(Jn 17.4-5).

"No ruego que los quites del mundo, sino que los guardes del mal [...] Santifícalos en tu verdad; tu palabra es verdad"
(Jn 17.15-18).

"...que presentéis vuestros cuerpos en sacrificio vivo, santo, agradable a Dios, que es vuestro culto racional. No os conforméis a este siglo sino transformaos por medio de la renovación de vuestro entendimiento para que comprobéis cuál sea la buena voluntad de Dios, agradable y perfecta"
(Ro 12.1-2).

necesariamente a las Escrituras que presentan una poderosa visión del mundo; una plomada estable y segura que le enseña cómo pensar y cómo desenvolverse (2 Ti 3.16-17).

A medida que vaya conociendo a Jesús profundamente, perderá el gusto por las golosinas sintéticas que el mundo ofrece; lo único que le dará verdadera satisfacción son las riquezas de Dios (Col 3.2). Más aún, tendrá hambre de las riquezas de Dios; avidez por ellas. Y esta transformación hará una gran diferencia en la manera en que usted vive en una sociedad secular y en la manera en que echa mano de las oportunidades que Dios le da para hacer una diferencia en el mundo. No sentirá temor en cuanto a propagar el evangelio; al contrario, sentirá un fervor por hacerlo. Expresar su fe no será algo casual, será una convicción y una consagración. Las apariencias no lograrán satisfacerle; para usted, lo importante será hacer una diferencia.

No hay duda: Madonna es diferente. Pero Jesús, hizo la diferencia. Y gracias a Jesús, Pablo hizo una diferencia. Los cristianos del coliseo hicieron una diferencia.

Usted, ¿está haciendo una diferencia?

Esta es su vida: *Diferentes naturalezas*

Piense en dos personas a quienes conoce, que no son creyentes. Escriba sus nombres.

_____

_____

Señale algunas maneras en que Dios puede tocarlas con su amor, a través de usted, esta semana.

_____

_____

_____

_____

_____

_____

En una ocasión, una persona sabia dijo: "Usted no será lo que piensa que es, pero sin duda, usted es lo que piensa". Esta reflexión resume la realidad de una vida que hace una diferencia en este mundo. Su premisa se basa en Filipenses 4.8-9 *"Por lo demás, hermanos, todo lo que es verdadero, todo lo honesto, todo lo justo, todo lo puro, todo lo amable, todo lo que es de buen nombre; si hay virtud alguna, si algo digno de alabanza, en esto pensad. Lo que aprendisteis y recibisteis y oísteis y visteis en mí, esto haced; y el Dios de paz estará con vosotros".*

Piense en cómo era el apóstol Pablo antes de su conversión. Y luego piense en lo que Dios pudo llevar a cabo para su gloria, a través de Pablo. Ahora piense en lo que Dios puede llevar a cabo a través de usted.

¿Cómo puede Dios usarle para cambiar el mundo?

_____
_____
_____
_____
_____
_____

Pídale a Dios que le dé, cada día, la capacidad para discernir maneras piadosas a través de las cuales estimular el cambio en el mundo que le rodea.

LO PRINCIPAL

Usted puede ser diferente amando a las personas de este mundo, pero no amando las cosas del mundo.

PUNTO DE CONTROL

¿Qué ha aprendido recientemente de una situación desfavorable en su vida? (Vea las páginas 62-64).

_____
_____
_____

¿Cómo las malas decisiones le han enseñado y qué ha aprendido ultimamente? (Vea las páginas. 62-64).

_____
_____
_____
_____
_____

Día cinco: Sea "realmente" diferente

DEL LIBRO

"Porque por gracia sois salvos por medio de la fe; y esto no de vosotros, pues es don de Dios; no por obras, para que nadie se gloríe"(Ef 2.8-9).

"Mas la que cayó en buena tierra, éstos son los que con corazón bueno y recto retienen la palabra oída, y dan fruto con perseverancia" (Lc 8.15).

"Porque todo lo que es nacido de Dios vence al mundo; y esta es la victoria que ha vencido al mundo, nuestra fe. ¿Quén es el que vence al mundo sino el que cree que Jesús es el Hijo de Dios?" (1 Jn 5.4-5).

En la película *Smoke* [Humo], Dane localiza a su padre, Ciro, quien lo había abandonado cuando nació. El muchacho estaciona su automóvil frente a la casa de su padre y lo observa. En un momento, Ciro se siente muy molesto y va a preguntarle a Dane qué quiere. En la acalorada discusión que sigue, Dane recibe una reprensión por mirar demasiado la prótesis de gancho que reemplaza el brazo izquierdo de su padre. Sin inmutarse por el mal carácter de su padre, Dane le pregunta a Ciro cómo perdió el brazo. Ciro le explica que muchos años atrás, tuvo un accidente con su automóvil por manejar ebrio. En el accidente, murió su esposa y él perdió el brazo. Ciro cree que perdió a su esposa y su brazo porque Dios le estaba diciendo que "corrigiera su vida".

Dane le pregunta a su padre si es que ya hizo eso.

Ciro responde: "No, pero lo sigo intentando".[31]

Ciro manifiesta un punto de vista erróneo con respecto a la redención, el mismo que millones de personas adoptan: el punto de vista, de que la reconciliación con Dios se logra "corrigiendo su vida". Pero la Biblia enseña que la redención únicamente se lleva a cabo cuando Dios acepta nuestro corazón arrepentido. Es Él quien entonces establece una relación con nosotros, en la cual el Espíritu Santo comienza a transformarnos. Esta es la transformación interior que da como resultado el verdadero cambio; no esa intención puramente humana, de "corregir uno mismo su vida" (Ef 2.8-9; Lc 8.15).

Lamentablemente, usted también, puede encontrarse tratando de imitar a Ciro, si en lugar de confiar en Dios para que Él haga la transformación, trata de "corregir su vida" lanzándose con todas sus fuerzas y su entusiasmo a participar en actividades "cristianas" externas. Pero la espiritualidad no es algo que uno puede aparentar. Para que sea eficaz, tiene que ser real. Tiene que ser el resultado de la presencia de Dios obrando a través de usted; de lo contrario, es ficción, mentira. Usted, ¿quiere lo real?

A veces, puede parecer muy difícil ser genuino en un mundo tan irreal. No sólo difícil sino imposible, si uno quiere pasar por la vida a la manera de Ciro: esforzándose a nivel puramente humano. Esa clase de actividad puede dar la impresión de que la vida cristiana es más una lucha de esfuerzos que una realización; que está marcada más por la fatiga que por la esperanza. Pero vivir y amar a Jesús de corazón es conocer la victoria sobre todas las cosas: las carencias de nuestra personalidad, los vicios de nuestra disciplina, nuestro egoísmo, estupidez y toda una larga lista de rasgos personales desagradables (1 Jn 5.4-5). La auténtica espiritualidad es saber quién es usted en Cristo, por qué esta aquí, cuál es su llamamiento y quién es el que le reviste de poder. No es una serie de acciones a través de las cuales otros le señalan como "espiritual"; es el genuino desempeño de usted mismo o usted misma, ese ser real que Dios maravillosamente formó, para que brillara para Él tal cual es, a su manera tan propia y particular. Y es la pureza del ADN espiritual de Jesús dentro de usted, lo que le capacita para dar lo mejor de sí para la gloria de Dios (Sal 139.13-14).

A veces, uno mira a otro creyente que está haciendo una diferencia y dice: "Ojalá yo pudiera ser como Cristina". Pero permítame decirle: Dios no quiere que usted sea como Cristina, de la misma manera que no quiere que Cristina sea como usted. Él quiere que usted sea como Jesús, pero a través de su personalidad propia y única, de sus dones especiales y de su carisma (Ro 9.20). Quiere que usted sea real para Él; que sea transparente, en un mundo opaco. Quiere que usted se quite la máscara y revele lo real: una vida única que conoce a Cristo de corazón y lo vive.

Piense por un momento en Pablo. Antes de su conversión en el camino a Damasco, era toda una personalidad poderosa a quien era necesario tener en cuenta. Celoso, vigoroso, arrollador. Comprometido con su causa de perseguir a los cristianos. ¡Estamos ante una personalidad impresionante! Llenaba un recinto y hacía tomar conciencia de su presencia a los presentes. Y luego viene el poder transformador de Dios. Dios transformó el corazón de Pablo; le dio la naturaleza espiritual de Cristo, pero no le cambió su personalidad. Pero sí cambió los objetivos de Pablo. Dios tomó esos rasgos personales exclusivos que le había dado a Pablo al nacer, y al hacerlo nacer de nuevo los reorientó para la gloria de Él. Pablo siguió siendo una personalidad poderosa, para tener en cuenta. Celoso, vigoroso, arrollador. Comprometido con su causa. Su personalidad todavía llenaba un recinto. Pero tenía un llamamiento más alto. Pablo era totalmente genuino, y con su determinación, su vigor y su estilo inmutable reunía las condiciones perfectas para llevar a cabo lo que Dios siempre quiso que hiciera: Levantarse y proclamar el mensaje transformador de Jesucristo; el mensaje que transforma vidas.

¿Para qué cosa reúne usted las condiciones perfectas? ¿"Para nada", dijo? *Respuesta equivocada.* Sepa esto: No existe otra persona como usted en toda la faz de la tierra. Dios lo dispuso así, porque quiere que usted tenga el corazón de Él, pero que lo manifieste a través de su propia personalidad, talentos y dones, todos ellos únicos y exclusivos. Usted fue creado y llamado por Dios para vivir su vida como siervo especial y único. Un poeta expresó muy acertadamente: "Nacemos originales y es una lástima que al morir seamos una copia".[32] No sea una copia, una reproducción de otro. Usted es un hijo o una hija de Dios con características únicas. Él le creó único e irrepetible para un llamamiento especial. Sea

*"Porque tú formaste mis entrañas; Tú me hiciste en el vientre de mi madre.
Te alabaré; porque formidables, maravillosas son tus obras;
Estoy maravillado,
Y mi alma lo sabe muy bien"*
(Sal 139.13-14).

"...oh hombre, ¿quién eres tú, para que alterques con Dios? ¿Dirá el vaso de barro al que lo formó: ¿Por qué me has hecho así?"

(Ro 9.20).

usted mismo o usted misma para la gloria de Aquel que le hizo tan especial.

Señale tres aspectos de su verdadera personalidad que Dios puede usar para atraer a otros a Jesús.

_____
_____
_____

Piense en tres maneras en las cuales Dios podría usar para su gloria, estas cualidades únicas.

_____
_____
_____

La nueva identidad espiritual que tiene en Cristo, le da una nueva conciencia de quién es usted. Por fin, le hace sentirse cómodo o cómoda en su propia piel, porque esa "piel" es el templo de Dios. Es tiempo de vivir. Usted no necesita vivir como su madre quiere, ni como el mundo a su alrededor se lo quiere imponer; y menos como "los cristianos" pudieran pretender. Su llamamiento es a ser real. Dios vivirá a través de usted de una manera diferente de la que lo hace a través de otros. No intente ser como otra persona porque Dios lo hizo de una manera determinada para que usted se acerque a Él y a ciertas personas, con las que otros no pueden relacionarse.

En este mundo irreal, sea usted real para Dios. Busque profundizar su relación con Cristo, sobre la base de una experiencia diaria. Eso consolidará su identidad: quién es usted. Confirmará a quién pertenece y cambiará para siempre su manera de vivir.

Como Pablo, usted tiene ahora un nuevo propósito; una nueva dirección para su vida. Sea usted mismo, pero no busque servirse a sí mismo. Sirva a Aquel que le libertó para poder ser como Él. Cuando lo haga (cuando sea realmente diferente), su corazón, un corazón como el de Él, se manifestará con toda su luz, para la gloria de Dios.

Esta es su vida: *Exprésese*

¿Cuál es su mayor obstáculo para ser lo que usted es en Cristo?

_____
_____

Señale dos cosas que puede comenzar a hacer hoy para superar este obstáculo.

_____
_____

Un momento con el Señor

"Hoy estarás conmigo en el paraíso" (Lc 23.43).

Seguramente, hasta el hecho mismo de pronunciar estas palabras en voz alta, le resultó muy difícil a Jesús. No porque no hubiese querido pronunciarlas, sino por el terrible dolor que sentía cada vez que intentaba respirar. Su cuerpo, golpeado hasta casi quedar irreconocible, se cocinaba al sol. Jesús temblaba a causa de la sangre que había perdido y que seguía goteando, formando un charco al pie de la cruz en que colgaba. Para respirar, aunque sea un mínimo de aire, tenía que juntar las fuerzas y el coraje para elevar su cuerpo, apoyándose en sus pies lacerados, y cada vez que lo hacía, el clavo filoso que los perforaba desgarraba aún más la carne alrededor. Sus pulmones ya no soportaban la presión y su respiración se hacía cada vez más difícil; el aire silbaba débilmente al pasar por su garganta reseca por la deshidratación. Ya no alcanzaba a humedecer sus labios, porque estaban resquebrajados, sangrantes y cubiertos de moscas. Estaba muriendo y Él lo sabía.

Sin embargo, Jesús no pensó en sí mismo. Aun en su hora más oscura, cuando la agonía ahogaba su alma, cuando el peso del mundo lo aplastaba, pudo poner sus ojos en las necesidades de otro. Orientó su cabeza y su corazón tierno y perdonador hacia el malhechor agonizante que tenía a su lado. Y le prometió el paraíso a ese ladrón arrepentido.

Eso es amor. Amor que desestima su propio dolor, con tal que otro encuentre la paz. Amor que da, aun cuando el espíritu humano grita "¡Basta! ¡Basta!" Amor que ofrece: "En mi corazón hay lugar de sobra para ti".

Jesús amó de esta manera. Y quiere que usted ame así también.

Jesús ama sin límites

"Y para terminar ..."

Al llegar al final del estudio de esta semana, dedique algunos minutos a repasar las lecciones.

¿Qué es, a su juicio, lo más importante que Dios le enseñó esta semana?

_____

_____

_____

_____

¿Cuál le parece que sería la acción más importante que Dios querría verle llevar a cabo, como resultado del estudio de esta semana?

_____

_____

_____

Dedique un tiempo a la oración. Agradezca a Dios por hablarle a través de su estudio, y pídale que le ayude a incorporar a la práctica de vida lo que está aprendiendo.

Semana 5

Los enemigos de su corazón

Cuando Robertson McQuilkin estaba en la escuela primaria, él y un amigo estaban jugando con una pistola de agua durante el recreo. En el momento preciso en que Robertson apretó el gatillo, acertó a pasar delante de él el camorrista más peligroso de la escuela y el chorro de agua le dio de lleno en la cara.

El individuo era un monstruo en tamaño y con una sola mano y sin esfuerzo podría haberlo hecho migas como una galleta de agua; en cambio, sacó de su bolsillo una navaja... y la persecución estaba en marcha.

Robertson corrió varias veces alrededor del patio con su enemigo pisándole los talones. Cuando sonó el timbre, Robertson buscó la protección de su aula. Pero a la salida de la escuela, el camorrista estaba esperándolo. Durante los días que siguieron, Robertson puso en práctica cuanta artimaña se le ocurría para zafarse de él y llegar sano y salvo a su casa. Pero al fin, se le acabaron los atajos y desvíos para escapar.

Mientras estaba sentado cerca de la ventana de su aula, lamentando su suerte, vio a su padre que se acercaba por la vereda. Robertson salió corriendo por la puerta del fondo, saludó afectuosamente a su padre y lo tomó de la mano. Cuando rodearon juntos la esquina, Robertson, confiado y envalentonado ahora por la presencia de su padre, saludó burlonamente con la mano a su enemigo.[33]

Usted, también, puede tener victoria sobre los enemigos espirituales en su vida. Pero a diferencia del padre de Robertson, su Padre Celestial está siempre a su lado. Su Espíritu Santo lo levanta cuando está decaído, lo guía cuando está desorientado, le advierte cuando es tentado, lo restaura cuando cae, ríe con usted cuando las cosas van bien y llora con usted cuando las cosas van mal.

El objetivo de la gracia transformadora de Dios es vencer las barreras que tratan de impedir que usted se convierta en el compañero íntimo de Jesús. Esta semana, consideraremos en detalle a esos enemigos espirituales y a Aquel que le provee las armas para tener la victoria sobre ellos.

El objetivo de la gracia transformadora de Dios es vencer las barreras que tratan de impedir que usted se convierta en el compañero íntimo de Jesús.

UN VISTAZO A LA SEMANA 5

Día 1:
No todo es culpa del diablo

Día 2:
Conozca la verdad

Día 3:
El peligro de deslizarse y el precio de la rebelión

Día 4:
Las distracciones

Día 5:
Armado y preparado

Un momento con el Señor

Día uno: No todo es culpa del diablo

Una niña pequeña estaba de pésimo ánimo. Se desquitó de sus frustraciones con su hermanito menor, al principio solo haciéndolo enojar un poco; pero llegó al punto de tirarle de los pelos y darle puntapiés en las canillas. El pequeño salió corriendo a quejarse ante su mamá, por lo que su hermana le había hecho. "Paula, ¿por qué dejaste que Satanás pusiera en tu corazón el hacer enojar a tu hermano, tirarle del pelo y darle puntapiés?", preguntó su madre.

La niña pensó unos segundos y respondió: "Bueno, mamá, puede ser que Satanás pusiera en mi corazón el hacer enojar a Santiago y tirarle del pelo, pero lo de los puntapiés fue idea mía".[34]

La jovencita era lo suficientemente sagaz como para reconocer la influencia del diablo en su vida, pero también fue lo suficiente honesta como para confesar su propia responsabilidad humana en la agresión a su hermano. Aunque el diablo es el instigador, usted desempeña un papel fundamental actuando como un "pivote" sobre el cual todo se apoyará luego, al hacer elecciones según el corazón humano y no según el corazón de Dios. Lo que usted hace con su enojo, odio y frustración es una cuestión de libre elección (no simplemente una excusa para gritar "el diablo me hizo hacerlo"). El diablo, sin duda aplaude sus malas elecciones, pero no puede adjudicarse todo el mérito por ellas. Parte de la culpa es suya y nada más que suya.

Como creyente, se encontrará en permanente conflicto con la carne y muchos otros enemigos de su corazón. Pero el mundo, la carne y el diablo, son enemigos con quienes se encontrará más a menudo todos los días de su vida (Jn 15.18-27).

Tomemos, por ejemplo, el mundo. La tentación de conformarse a su perspectiva puede ser como un gigantesco tifón, que a uno lo succiona y lo traga, antes de darse cuenta siquiera que se le están mojando los pies. Su fuerza simboliza todo aquello que se opone a Dios (1 Jn 2.16) y causa muchísimos problemas. La Palabra de Dios abunda en advertencias contra este enemigo, pero también enarbola una bandera de victoria: "*Estas cosas os he hablado para que en mí tengáis paz. En el mundo tendréis aflicción; pero confiad, yo he vencido al mundo*" (Jn 16.33).

Dios está diciendo: "No se dejen dominar por el pánico. Su victoria sobre el mundo es segura, en tanto que me amen, me obedezcan y confíen en mí". Las armas que usted posee para la batalla contra el mundo son la oración, el estudio bíblico, la comunión con Jesús y la relación con otros creyentes. Eso significa que no hay en su vida un lugar secreto donde esconder sus amores del mundo. Dios dice que tengamos la casa limpia, de lo contrario, que tengamos cuidado, porque el amor de Él y nuestro amor por el mundo, no pueden habitar en el mismo corazón. A través de los siglos, creyentes como usted y yo descubrieron esta verdad.

Durante su exitosa carrera como cantante de ópera, a Jenny Lind se le conoció como "El ruiseñor de Suecia". Llegó a ser una de las artistas más ricas de su tiempo y sin embargo abandonó el escenario en la cumbre de su carrera. Muchos especularon sobre las razones de su alejamiento, y la gente en general se preguntaba cómo había podido renunciar a los aplausos, la fama y el dinero. Por su parte, ella parecía muy feliz de vivir en total privacidad cerca del mar.

Un día, una amiga la encontró en la playa con la Biblia sobre sus faldas, contemplando una extraordinaria puesta de sol. En el transcurso de la conversación, su amiga le preguntó: "¿Jenny, cómo llegaste a abandonar el escenario en el momento de más éxito?"

Y respondió serenamente: "Cuando cada día me hacía pensar menos en esto (poniendo su dedo sobre la Biblia), y para nada en aquello (señalando a la puesta de sol), ¿qué otra cosa podía hacer?"[35]

Piense en las seducciones del mundo: dinero, fama, placeres, etc. La lista es tentadora. ¿Ama usted secretamente algo de lo que el mundo ofrece? Si es así, complete el siguiente compromiso con Dios para "limpiar su casa". *Porque_____ me está impidiendo experimentar una metamorfosis, te pido Dios me des la victoria sobre ello.*

Ahora, si usted cree que el mundo es un adversario duro, espere a que comience la guerra con usted mismo, contra su viejo yo que siempre lo quiere todo a su manera y que como un niño malcriado, llora, grita y patalea hasta lograr lo que desea para sí. El egocentrismo es ese matón que puede perseguir su vida espiritual haciéndola correr desesperadamente en círculos, y aun herirla de muerte, a menos que batalle contra él con el "Dios-centrismo". Un corazón como el de Jesús no dice: "¡Satisfáceme!" Dice: "No sea hecha mi voluntad sino la tuya". No pregunta: "¿Qué hay para mí?" Pregunta: "¿Qué puedo dar?" Recibirá poder más allá de lo imaginable cuando rinda sus deseos y siga la corriente de la voluntad de Dios, como hizo Jesús. Jesús dejó la perfección de los cielos para acercarse al corazón afligido, de manera que usted pudiera conocer el corazón mismo de Dios. En Juan 6.38, Él confiesa que no fue su voluntad, sino la de Dios. Jesús dejó la perfección para venir a servir en el jaleo de este mundo. Una elección sumamente desinteresada, por cierto y el modelo que nos es dado para vivir nuestra vida.

Piense en sus acciones durante las últimas semanas. Señale dos que hayan sido motivadas más por egoísmo que por servicio.

_____

_____

Si yo no hubiese hecho entre ellos obras que ningún otro ha hecho, no tendrían pecado; pero ahora han visto y han aborrecido a mí y a mi Padre. Pero esto es para que se cumpla la palabra que está escrita en su ley: Sin causa me aborrecieron. Pero cuando venga el Consolador, a quien yo os enviaré del Padre, el Espíritu de verdad, el cual procede del Padre, él dará testimonio acerca de mí. Y vosotros daréis testimonio también, porque habéis estado conmigo desde el principio" (Jn 15.18-27).

"Porque todo lo que hay en el mundo, los deseos de la carne, los deseos de los ojos, y la vanagloria de la vida, no proviene del Padre, sino del mundo" (1 Jn 2.16).

Si hubiese enfrentado esas circunstancias con el corazón de un servidor, en lugar de enfrentarlas con un corazón egoísta, ¿qué piensa usted que hubiera hecho de manera diferente? ¿Qué batallas espirituales podría haber ganado?

_____

_____

"Porque he descendido del cielo, no para hacer mi voluntad, sino la voluntad del que me envió" (Jn 6.38).

"Y no es maravilla, porque el mismo Satanás se disfraza como ángel de luz" (2 Co 11.14).

"Y el Dios de paz aplastará en breve a Satanás bajo vuestros pies. La gracia de nuestro Señor Jesucristo sea con vosotros" (Ro 16.20).

LO PRINCIPAL

A medida que su relación con Cristo crece, la influencia del mundo, la carne y el diablo, decrecen.

PUNTO DE CONTROL

Deténgase ahora mismo y ore por ese otro creyente que es "una mosca en su sopa" (Ver p. 76).

Ahora permítame una palabra acerca de Satanás: un adversario que es un verdadero diablo. Él se deleita en poner la mayor distancia posible entre usted y Dios. Pero él no es ese payaso vestido de rojo que anda paseándose con un tridente en las manos como el mundo pintorescamente lo ha caracterizado. Piense en él de esa manera y es seguro que termina cayendo en una de sus trampas. El diablo es sagaz y astuto. No anda de traje rojo, anda en "jeans", así, usted puede sentirse perfectamente a gusto con él cuando se sienta a su lado y le susurra al oído. Él sabe perfectamente bien dónde están los puntos débiles en su sistema defensivo. Es todo un "genio" de adversario (2 Co 11.14).

Pero para Dios es polvo. No tiene poder contra el Padre, quien transforma los más terribles planes de Satanás, en situaciones que resultan para la propia gloria de Él. Hasta la gran realización de Satanás: su manejo de los líderes y sistemas humanos para condenar a Jesús a muerte, resultó en la prueba testimonial del amor eterno de Dios por los perdidos. La impotencia de Satanás para vencer a Jesús es la seguridad de que usted también puede derrotarlo, porque usted es un hijo o una hija de Dios (Ro 16.20).

Esta es su vida: _El diablo en "jeans"_

Piense en la última vez que Satanás le engañó. ¿Le raptó o se sentó disimuladamente a su lado y le convenció para que se metiera en pecado? Describa su engaño más reciente, de modo que esto le sirva para no volver a caer en lo mismo.

_____

_____

_____

_____

_____

_____

_____

Día dos: Conozca la verdad

Ram Dass cuenta este relato acerca de Dios y Satanás mientras caminaban juntos por una calle. El Señor se agacha, recoge algo y contempla cómo reluce admirable en su mano. Picado por la curiosidad, Satanás pregunta qué es. "Esto", responde el Señor, "es la verdad".

"Dámela", dice Satanás, "yo te la ordeno, te la organizo". [36]

Y desde entonces, Satanás se ha dedicado a "ordenar" (distorsionar) la verdad de Dios. Por eso, es tan importante que usted conozca profundamente todo lo que encierra su nueva identidad en Cristo; que descubra el poder de su nuevo ADN espiritual; que descubra la sabiduría de la verdad de Dios y que entienda, en toda su dimensión, la urgencia del supremo llamamiento de Dios a glorificarlo haciéndose como Jesús. La falta de conocimiento en estos aspectos le dejará confundido, vulnerable y a la deriva en la vida, sin un propósito claro. Le dejará preguntándose: "¿Y ahora qué hago?" (que dicho sea de paso, es una invitación abierta al engaño), en lugar de afirmar confiadamente: "Mi propósito es conocer de corazón a Jesús para poder glorificar a Dios".

La falta de conocimiento de la verdad de Dios es un enemigo peligroso para una relación creciente con Jesús. Así como un virus "gusano" va lentamente haciendo agujeros en un programa de computadora, la falta de conocimiento de la Biblia (y en consecuencia, el quedar expuesto a enseñanzas distorsionadas) puede, con la misma sutileza, frenar su crecimiento espiritual. El armarse para luchar contra la información errónea se lleva a cabo estudiando profundamente la Palabra de Dios y amalgamándola con su mente y su alma; para que cuando se produzca el encuentro con esa verdad distorsionada, las luces de advertencia se enciendan de la misma manera que un programa antivirus le advierte de un problema en su computadora (He 13.9a; 2 P 1.12; 2 P 3.17-18).

En su libro *The Adequate Man* [El hombre adecuado], Paul S. Rees analiza la verdad pura que usted necesita conocer de corazón y de memoria. Él la denomina: "la vehemente conciencia de Cristo", que la cultura griega definió como la "excelencia". Esta excelencia, esta pura verdad que el evangelio de Cristo hace posible, se describe en Filipenses 4.8 como "Todo lo que es verdadero". Rees lo explica de esta manera:

> Existe un orden de verdad y realidad que es independiente de
> nosotros porque está fundamentado en Dios. Nuestra tarea
> no es realizar una encuesta Gallup para descubrir cuál es la
> opinión popular o cuáles son las tendencias de cambio.
> Nuestra tarea es establecer una regla, una norma, a partir
> de esa realidad que vemos en Dios tal como Cristo revela al

DEL LIBRO

"No os dejéis llevar de doctrinas diversas y extrañas"
(He 13.9a).

"Por esto, yo no dejaré de recordaros siempre estas cosas, aunque vosotros las sepáis, y estéis confirmados en la verdad presente" (2 P 1.12).

"Así que vosotros, oh amados, sabiéndolo de antemano, guardaos, no sea que arrastrados por el error de los inicuos, caigáis de vuestra firmeza. Antes bien, creced en la gracia y el conocimiento de nuestro Señor y Salvador Jesucristo. A él sea gloria ahora y hasta el día de la eternidad"
(2 P 3.17-18).

Padre. Toda verdad puede interesarnos, pero lo que debe cautivarnos, elevarnos y gobernarnos es la verdad que refleje de manera genuina la naturaleza de Dios.[37]

"Por lo demás, hermanos, todo lo que es verdadero, todo lo honesto, todo lo justo, todo lo puro, todo lo amable, todo lo que es de buen nombre; si hay virtud alguna, si algo digno de alabanza, en esto pensad" (Fil 4.8).

"Por tanto, ceñid los lomos de vuestro entendimiento, sed sobrios, y esperad por completo en la gracia que se os traerá cuando Jesucristo sea manifestado; como hijos obedientes, no os conforméis a los deseos que antes teníais estando en vuestra ignorancia; sino, como aquel que os llamó es santo, sed también vosotros santos en toda vuestra manera de vivir; porque escrito está: Sed santos, porque yo soy santo" (1 P 1.13-16).

En su libro *The High Calling* [El alto llamamiento], J. H. Jowett traduce la verdad al lenguaje de la calle: "En un tribunal, la verdad es la correspondencia con los hechos. En el Nuevo Testamento, la verdad es la correspondencia con Dios".[38]

¿Busca usted corresponder diaria y enteramente con Dios? ¿Se sumerge en la fuente de verdad que llamamos la Biblia? ¿Recuerda cuando se comprometió a memorizar versículos de las Escrituras para que las verdades de la Biblia se convirtieran en una parte inseparable de su vida? Escriba las referencias bíblicas de los versículos que Dios está usando para transformarle espiritualmente.

_____

_____

_____

_____

Si se le terminaron los versículos antes de ocupar todos los renglones, reciba este consejo de C.S. Lewis: "La mejor salvaguarda contra la mala literatura es una intensa experiencia con buena literatura".[39]

Del mismo modo, la mejor protección contra la mala información propagada a través del movimiento de la Nueva Era, las falsas religiones, el agnosticismo, el ateísmo y el mundo en general es un claro conocimiento de lo que es en realidad la verdad. Si su conocimiento de la verdad bíblica es poco profundo, usted es sumamente vulnerable a los ataques de Satanás en esta área. Satanás es especialista en plantar malezas de información errónea en un jardín de verdad. Usted puede estar asfixiado por las malezas sin siquiera saberlo, si no está protegido por un pleno conocimiento de la verdad. Proclame la victoria sobre la distorsión haciendo suya la plena experiencia en la verdad que le hace libre (1 P 1.13-16).

Y tenga presente lo siguiente: Así como el conocimiento de la verdad le hace libre, la fe le hace fuerte y consciente de la presencia de Dios.

Después que un muchacho de 12 años le pidiera a Dios que le perdonara todos los pecados que había cometido y que lo aceptara como su hijo, los compañeros de la escuela le preguntaron acerca de la experiencia.

"¿Oíste a Dios hablar?" preguntó uno.

"No", dijo el muchacho.

"¿Tuviste una visión?" preguntó otro.

"No", respondió el muchacho.

"Bueno, ¿y cómo supiste que era Dios?" le preguntó un tercero.

El muchacho pensó por un momento y luego dijo: "Es como cuando atrapas un pez. No puedes verlo ni oírlo, simplemente sientes los tirones del hilo. Yo sentía que Dios me tironeaba el corazón".[40]

Hay un nivel de verdad que desafía los sentidos y toda objetividad. Es en ese nivel que abunda la fe. Y en el corazón mismo de su fe está Jesús. A medida que usted crece en su fe, al ver a Dios obrando en todas las áreas de su vida, usted llega a ser capaz de permanecer firme aun en la noche más oscura, aun cuando Dios parezca estar en silencio y el ruido de Satanás sea ensordecedor. Uno puede sentir ese "tironcito" de Dios (Jn 14.1).

Pero la falta de fe puede dejarle vacilante y tambaleando, precisamente allí donde Satanás quiere; dando dos pasos para adelante y tres para atrás. La falta de fe no sólo es un impedimento para el proceso transformador de Dios, sino que envuelve su corazón y lo aparta de la disposición de glorificarlo a Él. No le permita ganar, a este enemigo de su corazón. Viva por fe en Aquel que transformó su corazón con el amor inmenso que tiene por usted. Cuando usted vive el poder de la fe, Satanás tiembla. Cuando usted vive por fe, así como hizo Jesús, no hay lugar en su vida para Satanás y sus engaños. Él se queda afuera, en el frío, agitando los brazos en su frustración (Jn 14.12a; 1 Jn 5.4).

Describa una oportunidad en la que su fe en Dios y el amor de Él, le sostuvieron cuando todo a su alrededor presentaba una perspectiva sombría.

_____
_____
_____

¿Cómo habría manejado la situación sin Dios en su vida?

_____
_____
_____

La fe es la fuerza que le llevará a la victoria en muchas batallas espirituales. Cuando sienta que su fe se debilita, fortalézcala a través de la oración y apoyándose en otros creyentes que dan testimonio de la verdad de que Dios nunca falla, jamás abandona y nunca descuida su amor por usted. Él, es el omnisciente y todopoderoso creador del cielo y de la tierra. Puede mover montañas. Y le ama a usted con todo su corazón. Descanse en ese conocimiento y camine en la fe de que nada puede separarle de su amor asombroso, que llena de poder.

"No se turbe vuestro corazón; creéis en Dios, creed también en mí" (Jn 14.1).

"De cierto, de cierto os digo: El que en mí cree, las obras que yo hago, él las hará también; y aun mayores hará" (Jn 14.12a).

"Porque todo lo que es nacido de Dios vence al mundo; y esta es la victoria que ha vencido al mundo, nuestra fe" (1 Jn. 5.4).

Esta es su vida: *Piénselo*

Señale un tema sobre el cual usted conozca mucho

_____

_____

¿Cuánto tiempo y esfuerzo le demandó llegar a tener mucho conocimiento en este tema en particular?

_____

¿Cómo se compara esa inversión, con el tiempo y esfuerzo que invirtió en aprender las verdades de la Palabra de Dios?

_____

En caso de que fuera necesario hacer algunos ajustes, ¿cuáles serían?

_____

_____

_____

LO PRINCIPAL

La falta de fe y un conocimiento bíblico poco profundo pueden ser peligrosos para su salud espiritual.

PUNTO DE CONTROL

¿Qué hizo esta semana para permitir que la presencia de Cristo en usted alumbre a su alrededor?

_____

_____

_____

_____

_____

_____

Día tres: El peligro de deslizarse y el precio de la rebelión

Varios hombres se preparaban para hacer un viaje en canoa. "Podrán navegar bien si tienen presente dos cosas", les dijo el guía: "Una. El río puede fácilmente adormecerlos dándoles un falso sentido de seguridad, de manera que tengan mucho cuidado. La segunda: Asegúrense de virar a la derecha cuando lleguen a la bifurcación del río. El brazo izquierdo tiene zonas de "agua blanca", espumosa a causa de los rápidos, que es demasiado violenta para estas canoas. No se arriesguen. Les puede costar caro".

Algunos kilómetros río abajo, uno de los hombres se distendía mientras el sol besaba su cara. El agua estaba en calma, de modo que cerró sus ojos por un instante dejando que la canoa se desplazara suavemente con la corriente. Pronto se quedó profundamente dormido. Un rato después se despertó con una fuerte sacudida de la canoa. Su embarcación estaba encallada firmemente en un banco de arena. Por más que se esforzó, no pudo liberarla. Tuvo que nadar hasta la costa y caminar casi veinte kilómetros hasta el campamento; cuatro de esos kilómetros fueron una perfecta odisea, en plena oscuridad. Estaba hambriento, sediento y había perdido el viaje de regreso. Tal como el guía le había advertido, el deslizarse, dejarse llevar por la corriente, le había costado caro.

Otro de los integrantes de la misma excursión decidió demostrar su capacidad de navegar en las aguas blancas, ignorando las advertencias del guía y tomando el brazo izquierdo del río en la bifurcación. *Yo lo voy a hacer a mi manera*, pensó. *¿Cuánto puede tener de peligrosa el agua blanca en este río tan pequeño?* Pronto lo descubrió. Unos instantes después, se topó con agua blanca, revuelta, que lo chupó a él y a su canoa, hundiéndolo y haciéndolo desaparecer entre unas rocas que apenas si dejaban ver sus puntas filosas sobre la superficie del agua. Aferrándose a esas rocas, pudo llegar a la superficie, pero inmediatamente el agua embravecida lo arrojó sobre otro montón de rocas, donde se sostuvo, magullado y sangrando, hasta que una partida de rescate lo encontrara varias horas más tarde.

Deslizarse, rebelión: dos peligrosos enemigos. Uno es un desvío involuntario que puede hacer encallar su vida espiritual. El otro es una desobediencia a Dios, una actitud de "yo hago lo que quiero".

La Biblia nos advierte que debemos "guardar nuestro corazón" del peligro de deslizarnos, de dejarnos llevar por la corriente, porque puede suceder de manera totalmente sutil. Es salirse lentamente del curso que Dios planificó para nosotros. Puede suceder cuando uno se hace perezoso para con la vida de oración y el estudio bíblico, o cuando se ocupa demasiado con los afanes de la vida diaria. Uno se encuentra conque pasan los días y no ha crecido ni se ha acercado en nada a Dios, mientras la corriente lo aleja cada vez más de su voluntad; y ni siquiera se da cuenta de ello hasta que algo lo sobresalta: una crisis, un amigo preocupado que nos llama a la realidad, una disciplina de parte de Dios (He 2.1-3). Considere su vida pasada. ¿Hubo tiempos en que se alejó de Dios sin darse cuenta de lo que estaba sucediendo? Describa una ocasión así:

_____

_____

¿Qué le sacudió para hacerle volver a la realidad?

_____

La falta de atención produce una regresión en su vida espiritual; y cuando su crecimiento se detiene, aumenta su riesgo de caer en pecado. Es vital que usted preste atención y actúe sobre la base de lo que aprendió acerca de su fe, la transformación espiritual y las señales visibles de poseer un corazón como el de Jesús. Como salvaguarda frente a los riesgos de deslizarse, comprométase a orar y leer la Biblia diariamente, pero pida también a un amigo de confianza que sea su "compañero/a de rendición de cuentas". Alguien que con honestidad le llame la atención cuando se aparte o cuando la holgazanería se está metiendo en su vida (Pr 18.24b).

Piense en otro creyente que pueda ser un buen compañero de rendición de cuentas. Escriba el nombre de esa persona. Pida a Dios que le ayude para que esta persona sea su compañero. Recuerde, el hierro afila el hierro y un compañero le ayudará a mantener su atención en su objetivo de llegar a ser como Jesús y así glorificar a Dios._____

En tanto que un corazón arrastrado por la corriente puede hacernos encallar espiritualmente, un corazón rebelde es un tema mucho más grave aún para un creyente. La Biblia destaca el dolor y la tristeza que vino sobre el pueblo de Israel cuando amenazaron a Dios con el puño y dijeron: "¡Queremos hacer lo que se nos da la gana!" Y bien que recibieron lo que con sus puños pidieron: ira y disciplina de parte de Dios (He 3.7-11).

Si usted elige rebelarse contra Dios: reemplazar el amor y la obediencia por su propia voluntad, tenga por seguro que le acarreará problemas. ¿Se acuerda de Jonás? Su rebeldía lo metió en un problema enorme. Cuando Dios le dijo que fuera a Nínive a predicarles a los asirios, Él salió corriendo en dirección contraria. Es cierto que también tenía temor, a causa de la crueldad de los asirios, pero en el fondo de la cuestión, la realidad era que Jonás no tenía interés en que los asirios se convirtiesen porque los odiaba, de manera que dijo "¡No voy!" Su rebeldía lo llevó hacia el oeste, cuando Dios quería que fuese al este. ¿No se imagina a Dios sacudiendo la cabeza al ver partir a Jonás?

La rebelión de Jonás no sólo trajo consecuencias para él, también puso en peligro la vida de los marineros en el barco que abordó. Dios se reclinó en su sillón y envió una tormenta para decirle a Jonás: "Puedes escapar, pero no te puedes esconder". Aunque los marineros compasivos no querían arrojar a Jonás por la borda, no les quedaba otra alternativa: era él o ellos. Así que, al agua... Pero Dios, en su misericordia, no dejó que Jonás se hundiera como una roca, envió un gran pez para que lo tragase; y después dejó que Jonás meditara por tres días y tres noches en el vientre de ese pez, sobre las consecuencias de su rebeldía. Cuando por fin el pez lo vomitó sobre la playa, seguramente Jonás no se sintió mejor ni más perfumado, pero se encaminó decididamente a Nínive: y la ciudad se arrepintió.

Jonás aprendió por las malas que uno no puede decir que ama a Dios si no está dispuesto a hacer lo que Él le pide. Pero también aprendió que aun el corazón más rebelde puede encontrar perdón. La rebelión puede privarle de lo mejor del compañerismo con Dios y siempre le va a causar problemas; pero el perdón le lleva nuevamente a la paz y el gozo del Señor.

Si está luchando contra una tendencia a deslizarse o a rebelarse, pídale a Dios que le dé fuerzas para rechazar a estos enemigos de su corazón. Y recuérdese permanentemente, que el deslizarse y la rebelión no son pecados que quedan limitados a uno mismo. Tienen impacto sobre sus seres queridos, sus hermanos en la fe y los perdidos. A través de sus acciones, usted exalta el nombre de Jesús, o lo denigra; o acerca a otros a Jesús, o hace que sientan rechazo por Él. Ser un creyente es, sin duda, una seria responsabilidad.

Mantenga su corazón centrado en Dios y en su liderazgo, no importa cuánto le asuste, o qué "poco adecuado a su personalidad o sus circunstancias" le pueda parecer. Se evitará muchísimos problemas. Y sus amigos, su familia y los hermanos en la fe se lo agradecerán.

Esta es su vida: No es un pesado, es su hermano

¿Está pensando en un hermano en Cristo que parece estar deslizándose? Escriba aquí las iniciales de esa persona: _____

Ore por ella durante cinco días. Pida a Dios que le dé a usted (o a otro en quien esta persona confía), la sabiduría para abordar el tema en amor.

Ahora, piense en alguien que usted conozca, que alguna vez fue un creyente consagrado y que se rebeló contra Dios y que ya no está viviendo como Jesús. ¿Se compromete a orar por esta persona todos los días, durante todo el próximo mes?

LO PRINCIPAL

Deslizarse de Dios puede hacer encallar su crecimiento espiritual; rebelarse contra Dios puede meterle en un enorme problema.

PUNTO DE CONTROL

¿Hizo usted alguna diferencia en el mundo durante esta semana? ¿Cómo?

_____
_____
_____
_____
_____
_____
_____
_____

DELLIBRO

"Aconteció que yendo de camino, entró en una aldea; y una mujer llamada Marta le recibió en su casa.

Día cuatro: Las distracciones

Mientras Marta sacaba el pan del horno, una gota de sudor rodó por su frente. Hacía mucho calor, pero no tenía tiempo para asomarse e ir al patio a tomar un poco fresco. En el cuarto de al lado, tenía huéspedes a cenar y todavía había mucho que hacer. Abrumada por la cantidad de cosas que todavía quedaban pendientes, Marta buscó para saber dónde estaba su hermana. Desde la otra habitación, llegaba a la cocina la dulce risa de María. Qué bien, pensó Marta. María lo está pasando fenómeno allí, mientras yo aquí trabajo como una esclava. Se asomó a la otra habitación y trató de captar la atención de María. Pero ella estaba completamente absorta escuchando a su huésped; ni siquiera se dio cuenta de la presencia de Marta. Pero el huésped sí.

Ahora que Él le estaba prestando atención, Mata rogó: "Maestro, ¿no te preocupa que mi hermana me haya dejado sola con todas las cosas de la cocina? Dile que venga a darme una mano". Pero la respuesta de su huésped la desconcertó: "Marta, Marta..., te preocupas demasiado por estas cosas. Solamente existe una cosa digna de preocupación y María la ha descubierto. No seré yo el que se la quite" (Lc 10.38-42).

La presencia de Jesús en su casa, distrajo tanto la atención de Marta que no tuvo tiempo para hacerle un lugar en su corazón. María, por otra parte, se negó a permitir que los problemas domésticos la distrajeran .

Uno de los obstáculos que Satanás usa contra usted, son las distracciones. Con un pequeño estímulo nada más, Satanás puede apartarlo de su relación con Jesús y dirigirlo a otras actividades que pueden ser buenas o no. Él puede distraerlo de la victoria que usted tiene en Jesús para hacerlo caer en temores acerca del futuro y en recriminaciones sobre el pasado. Él puede distraer su corazón para que asuma una posición legalista de autojustificación; para que no centre su atención en la gloria de Dios y persiga sus ambiciones personales. Satanás tratará de apartarlo de lo que usted siente que es importante.

Las distracciones han sido siempre acérrimos enemigos del corazón. Señale dos cosas que lo distraen de su relación con Jesús.

_____

_____

¿Qué quiere Jesús que usted haga? Simplemente lo que hizo María: dedicarse a ser como Él. Las cosas que lo distraen no glorifican a Dios (Lc 9.62). Él quiere que usted deje de lado su lista de "cosas pendientes" y que llegue a conocer su corazón, como lo conoció María. Él dice:

"¡Eche mano de este día! No deje para otro momento la oportunidad de conocerme. No se distraigas, corriendo por otros senderos. No deje que los dones especiales que Dios le dio se conviertan en un tropiezo para su crecimiento espiritual. Yo soy lo más importante!"

Marta tenía la mente para servir; pero Jesús tuvo que enseñarle con dulzura cómo tener un corazón de servicio. ¿Es usted una "Marta"? ¿Está más interesado en hacer cosas que en ser como Él? Es fácil distraerse cuando uno vive en un estado de sobrecarga emocional. Pero Dios quiere que nos serenemos: *"Estad quietos, y conoced que yo soy Dios"* (Sal 46.10a).

THE MESSAGE lo expresa de esta manera: *"¡Sal del tránsito! Quiero que me mires detenidamente, con todo tu amor..."* Cuando uno mira detenidamente y con todo amor a Jesús en la Biblia, nunca lo ve corriendo frenéticamente de una ciudad a otra, agotado por el estrés que causan las cosas sin hacer. Para Jesús, lo importante no era "hacer cosas"; lo importante era la gente. Aun cuando sus discípulos intentaron hacerlo pasar sin prestar atención a los niños que buscaban su bendición, Jesús les hizo saber que siempre tenía tiempo, especialmente para los pequeñitos (Mt 19.13-15). El interés de Jesús estaba puesto en las gentes, no en las cosas. ¿Es usted así?

Si usted está atrapado en un torbellino de distracciones o simplemente abrumado por una lista interminable de actividades que usted mismo ha creado, pare ahora mismo. Aminore la marcha. Serénese. Y vuelva su atención a Cristo. Dios quiere que sea como Jesús. No permita que nada ni nadie lo distraiga de hacer de Él el centro de su vida. No deje que sus temores se metan en su camino. No deje que sus "actividades espirituales" lo distraigan. No permita que nada ni nadie le impida conocer y amar a Jesús de corazón. Mañana, aquellos que lo rodean, no se acordarán si usted realizó todo lo que tenía en su "lista de actividades" hoy, pero se acordarán de usted, si usted tiene un corazón como el de Él. Y eso es lo más importante.

Esta es su vida: Ahora veo claramente

¿Qué puede hacer hoy para obtener la victoria sobre las distracciones que señaló anteriormente?

_____

_____

Pida a su mentor espiritual que "controle" los resultados de su victoria sobre estas distracciones. Use el siguiente versículo, como su llamado al combate.

"Esto lo digo para vuestro provecho; no para tenderos lazo, sino para lo honesto y decente, y para que sin impedimento os acerquéis al Señor" (1 Co 7.35).

"Entonces le fueron presentados unos niños, para que pusiese las manos sobre ellos, y orase; y los discípulos les reprendieron. Pero Jesús dijo: "Dejad a los niños venir a mí, y no se lo impidáis; porque de los tales es el reino de los cielos". Y habiendo puesto sobre ellos las manos, se fue de allí" (Mt 19.13-15).

LO PRINCIPAL

Las distracciones, hacen de su vida una serie de fragmentos desperdiciados. Centre su atención en Jesús.

PUNTO DE CONTROL

Repita Romanos 12.1-2. Encuentre estos versículos en la página 7.

Día cinco: Armado y preparado

Hay muchos enemigos, dispuestos a echar a perder su anhelo de conocer y amar a Jesús de corazón. Pero la vida cristiana no es una caminata improvisada por la cuerda floja que requiere pericia, suerte y que se den las condiciones adecuadas. Dios es su fortaleza, su protector; y Él se ha encargado de proveerle de todo lo necesario para estar armado y listo para hacer frente a todos los enemigos del corazón: Satanás, la carne, el mundo, la falta de conocimiento de las Escrituras, la falta de fe, el deslizarse, la rebelión y las distracciones.

Pero usted necesita ser un participante activo en la batalla. El pasaje de Efesios 6.10-18, está lleno de órdenes para la acción, dirigidas especialmente a usted: *Fortaleceos, vestíos, tomad, estad firmes, orad, velad.* Esto significa que, al igual que un soldado, usted necesita revisar diariamente su alistamiento para el combate. Deje de colocarse alguno de sus elementos de protección y será blanco fácil para los problemas. El enemigo siempre ataca por el lado más débil.

¿En qué consiste, entonces, el equipo de combate de un corazón transformado? En primer lugar, usted debe armarse con el "cinto de la verdad", lo que hace necesario que sea totalmente honesto u honesta en todo lo que dice y hace. Ninguna mentira (ni "piadosa" ni de otra clase) debe salir de su boca. Recuerde, las mentiras debilitan sus defensas porque necesitan mantenimiento constante. La verdad siempre está firme.

Además, usted necesita protegerse con "la coraza de justicia" que es un compromiso inquebrantable de pureza moral. Más creyentes de los que la cristiandad estaría dispuesta a reconocer han tropezado en este aspecto. Esta parte especial de la armadura debe ser sólida y necesita reforzarse diariamente con oraciones pidiendo la fortaleza y el discernimiento para decir "no", aun cuando esa voz seductora dentro de su mente esté susurrando "sí".

La otra protección contra los enemigos de su corazón transformado es una poderosa ofensiva. El "celo por anunciar el evangelio" le recuerda a Satanás su final derrota, a la vez que glorifica a Dios. Cada vez que usted comparte el evangelio, recibe más poder para volver a hacerlo.

Mantener la calma y la cabeza fría en medio de fieros combates es señal de una persona fuerte y confiada. La Biblia habla del "yelmo de la salvación" como una pieza vital de la armadura, porque le ayuda a tomar decisiones fundamentadas en una firme seguridad de su nueva identidad en Cristo. Usted sabe a Quién pertenece, por lo tanto, cuenta con una fortaleza espiritual que la persona sin Cristo no tiene.

Un conocimiento profundo de la Palabra de Dios, puede defenderle de cualquier cosa con que Satanás pueda arremeter contra usted: sea una tentación o una tergiversación de la verdad. Esta "espada del Espíritu" tiene verdades que Satanás no puede negar.

Como creyente bien armado, usted también tiene "el escudo de la fe", que puede rechazar toda clase de misiles (y algunas piedras también). Una profunda fe en Dios y en su poder absoluto, le recuerda constantemente, que la victoria sobre todas las cosas que diariamente golpean sus defensas, ya está ganada por la muerte de Jesús en la cruz.

Por último, el arma ofensiva más poderosa de todas está a su disposición: la oración. La Biblia le dice en 1 Tesalonicenses 5.17: "*Orad sin cesar*". Romanos 12.12 nos exhorta a mantenernos "*constantes en la oración*". Filipenses 4.6, nos recomienda a los creyentes: "*Por nada estéis afanosos, sino sean conocidas vuestras peticiones delante de Dios en toda oración y ruego, con acción de gracias*". El Nuevo Testamento está repleto de órdenes para orar. La importancia de la oración es indiscutible. Nuestro acceso a Dios es invencible. Y Dios responderá a su pedido de abrir mares, mover montañas y hacer retroceder a Satanás. La oración cambia las cosas. Nunca lo olvide.

Pelear la buena batalla, no siempre es fácil; los enemigos de su corazón son guerreros experimentados. Pero cuando Dios está de nuestro lado no hay nada qué temer. Él es, por cierto, un poderoso conquistador.

Esta es su vida: Zona de guerra

De todos los enemigos del corazón, ¿cuál diría usted que representa su mayor amenaza?

_____

¿Por qué cree que este es el peligro al cual usted es más susceptible?

_____
_____
_____

Deténgase ahora y pídale a Dios que le fortalezca contra este enemigo. ¿Qué versículo de las Escrituras invocaría como su himno de guerra contra este enemigo de su corazón? Escriba ese versículo y memorícelo.

_____
_____
_____
_____
_____

maligno. Y tomad el yelmo de la salvación, y la espada del Espíritu, que es la palabra de Dios. Orando en todo tiempo con toda oración y súplica en el Espíritu, y velando en ello con toda perseverancia y súplica por todos los santos" (Ef 6.10-18).

LO PRINCIPAL

Como creyente bien armado, usted está preparado para la victoria sobre los enemigos de su corazón.

PUNTO DE CONTROL

Hay muchas voces en el cuerpo de Cristo, con un mismo llamamiento a glorificar a Dios. ¿Está usted cantando con ellos o está desentonando? (Ver pp. 74-76).

Un momento con el Señor

"Entonces él les dijo: ¿Por qué me buscabais? ¿No sabíais que en los negocios de mi Padre me es necesario estar?" (Lc. 2.49).

Después de una búsqueda desesperada, María y José encontraron a Jesús, a sus doce años de edad haciendo exactamente lo que Dios quería que hiciera: atender los asuntos de su Padre. Jesús, movido por el puro anhelo de su corazón, era obediente a Dios y a la misión que su Padre le había encomendado realizar sobre la tierra. A través de los evangelios vemos que Jesús no se apartó de esto, aun cuando muchas personas (entre ellos sus discípulos) a menudo intentaron cambiar su centro de atención. Pero Jesús insistió. Se mantuvo fiel a la misión de Dios para Él. Tal es así, que las últimas palabras de Jesús dijeron de Él lo que ocuparía muchos volúmenes explicar:

"Consumado es" (Jn 19.30).

Jesús cumplió bien con todo. Su vida fue como el manto de una sola pieza que vistió. Desde Belén al Calvario, vivió sin pecado y sin tener que avergonzarse por nada. Fue fiel al llamamiento de Dios, cada día de su vida, con su interés puesto en el trabajo que Dios le encomendó que hiciera en esta tierra. Murió con un grito de victoria. La obra de redención, que fue el objetivo de su vida terrenal, se había completado y el plan de Salvación ya estaba establecido. Jesús lo cumplió. Y lo cumplió bien.

Pocos pueden considerar la vida que han vivido y decir: "Mi trabajo está completo". En cambio, muchos son como el brillante compositor Franz Schubert que murió a los 31 años dejando como una parábola de la vida humana su sinfonía inconclusa: una melodía encantadora, bien comenzada, pero que quedó para siempre anhelando sus exquisitas notas finales.

Conocer y amar a Jesús de corazón, es ser obediente al llamamiento de Dios. ¿Está su atención centrada en lo que Dios le puso para hacer en esta tierra, para gloria de Él: ser así como Jesús?

Dios quiere que Jesús pueda exteriorizar su vida a través de usted. Quiere que usted pueda cumplir todo bien. No se convierta en una sinfonía inconclusa. Rinda su vida totalmente al llamamiento de Dios, de modo que cuando su vida aquí en la tierra toque a su fin, usted también pueda decir: "Todo está cumplido".

JESÚS FUE OBEDIENTE A DIOS

"Y para terminar ..."

Al llegar al final del estudio de esta semana, dedique algunos minutos a repasar las lecciones.

¿Qué es, a su juicio, lo más importante que Dios le enseñó esta semana?

_____

_____

_____

_____

¿Cuál le parece que sería la acción más importante que Dios querría verle llevar a cabo, como resultado del estudio de esta semana?

_____

_____

_____

_____

Dedique un tiempo a la oración. Agradezca a Dios por hablarle a través de su estudio y pídale que le ayude a incorporar a la práctica de vida lo que está aprendiendo.

Semana **6**

Un llamado con un sentido de urgencia

Su corazón transformado, necesita ahora convertirse en uno con un profundo sentido de urgencia.

Ngo Thi Lam era una bebita gordita. Como una tierna víctima del caos y el horror de la guerra de Vietnam, la dejaron abandonada frente a uno de los abarrotados orfanatos en el Delta del Mekong. Por un milagro de Dios, cuando tenía seis meses de edad, la vio el Capitán de la Fuerza Aérea Norteamericana Robert Allen Peck, quien tenía una esposa y tres hijos varones en los EE.UU. de Norteamérica. Tocado hasta sus fibras más íntimas por esta delicada criatura abandonada, le escribió a su dulce esposa Phyllis, que vivía del otro lado del mundo, y decidieron adoptar a Ngo Thi Lam.

Aunque la decisión de adoptar a la frágil criatura fue una convicción de los sentimientos que no exigió discusiones, los trámites sí fueron toda una pesadilla. Pero finalmente, 13 meses después, Ngo Thi Lam partía rumbo a los EE.UU. de Norteamérica en los brazos circunstanciales, pero protectores del periodista Bob Considine. Con la guerra en plena marcha, cualquier persona que viajara de regreso a los Estados Unidos –o a cualquier otro país, claro- no podía viajar sin compañía. Rosemary Taylor, la tenaz directora del orfanato, se aseguraba de que así fuera. Colocaba a uno de sus huérfanos con pasaporte, en los brazos de un viajero, para ser entregado en brazos de sus nuevos padres que lo esperaban. Rosemary no aceptaba excusas.

Ngo Thi Lam, una muñeca tranquila, con los ojos oscuros más luminosos que uno pueda imaginar, no emitía un sonido mientras observaba todo lo que sucedía a su alrededor durante el vuelo. Se robó el corazón de todos en el avión, y Bob Considine se sintió como un papá orgulloso. A una hora de haber partido de Tokio, Bob comenzó con un juego que a Ngo Thi Lam le gustó. Ella se cubría la cara con una pequeña manta y luego sacaba el meñique de su mano izquierda. Bob le besaba el dedo, quitaba la manta y la encontraba a ella sonriendo radiante.

Pero en una ocasión, cuando quitó la manta, Ngo Thi Lam no estaba sonriendo. Estaba llorando en silencio. Enormes lágrimas rodaban por sus mejillas de muñeca. Bob llamó a la azafata, y cuando ella se acercó, le preguntó qué podía estar pasando porque la niña lloraba pero no hacía ningún sonido. La azafata, experimentada en estas cosas, le dijo algo escalofriante.

"Lo he visto antes en estos niños", dijo tiernamente. "La razón por la cual no hacen ningún sonido cuando lloran es porque hace mucho aprendieron que nadie vendrá".

Con su corazón tocado en lo más íntimo, Bob Considine sostuvo cariñosamente la mejilla de Ngo Thi Lam junto a la suya, y él y esa pequeña víctima frágil de una guerra sin sentido, lloraron juntos un rato".[41]

Nuestro mundo está lleno de ellos, de los que lloran en silencio. Almas perdidas que se sienten abandonadas. Personas que han dejado de llorar en forma audible porque nadie les respondió con el amor de Dios. Ahora lloran en silencio, convencidos de que no hay esperanza. Convencidos de que a nadie le interesa nada. Convencidos de que eso es todo lo que la vida ofrece.

Estas almas silenciosas están esperando que usted y su corazón transformado lloren con ellas y que de allí las conduzcan a los brazos tiernos de Jesús. Vivimos en un mundo en que las necesidades se guardan en silencio, ocultas a la vista de los demás. Necesitamos mirar con el corazón para ver el clamor que a menudo no se exterioriza. Dios le ha puesto en su nuevo corazón una vocación por encontrar y ayudar a esos que lloran en silencio, esos que están separados de Dios por causa de sus pecados. Es parte de su nuevo ADN espiritual. Esta insistencia a la acción, este llamamiento profundo, fluye del corazón mismo de Jesús.

"Y al ver las multitudes, tuvo compasión de ellas; porque estaban desamparadas y dispersas como ovejas que no tienen pastor. Entonces dijo a sus discípulos: A la verdad la mies es mucha, mas los obreros pocos. Rogad, pues, al Señor de la mies, que envíe obreros a su mies" (Mt 9.36-38).

Dios le dio a usted un nuevo corazón que le impulsa a salir a buscar a los perdidos: a tocar el dolor y la desesperanza de ellos con la gracia sanadora de Dios. ¿Ve usted las lágrimas de quienes están cerca de usted y que lloran desde hace mucho tiempo sin encontrar respuesta? ¿Alcanza a percibir la desesperanza de aquellos que ya lo intentaron todo para obtener paz, felicidad y amor, pero siguen estando solos? Están gritando de la única manera que conocen: con lágrimas silenciosas. ¿Está usted dispuesto o dispuesta a acercarse a ellos con el corazón de Jesús y demostrarles que su clamor ha sido oído y que hay esperanza de un mañana mejor?

La semana anterior aprendimos acerca de los enemigos espirituales, esas fuerzas que tratan de impedir que usted conozca a Jesús de corazón. Esta semana descubriremos, ¿por qué el tiempo es tan importante? ¿Por qué su corazón transformado, necesita convertirse ahora en un corazón con un profundo sentido de urgencia?

Ellos lloran en silencio, porque hasta aquí nadie oyó su llanto. ¿Cuál será la respuesta de su corazón?

Día uno: Oír el llamado y responder a él

El viento despiadado no estaba dispuesto a ceder. La empujaba, castigaba y arrojaba al suelo con brutalidad. No había forma de escapar de su ira. Estaba lejos de cualquier refugio, lejos de cualquier esperanza para ella. Lo sabía. Tan ciertamente como que el viento helado la castigaba sin piedad; lo sabía.

Pero se negaba a creer que no hubiera esperanza para el niño que acababa de dar a luz en la nieve. Para él, su corazón mismo, tenía que haber esperanza. Cuando ya la nieve comenzó a congelar su aliento y a entumecer sus dedos, se quitó toda la ropa de abrigo y envolvió con ella a su bebé. Luego lo apretó contra su corazón y se acurrucó sobre el suelo, protegiéndolo lo más posible del viento, la nieve y el frío, dejándole el legado del calor de su cuerpo al morir.

Algunas horas más tarde, unos hombres oyeron un leve quejido proveniente de un bulto entre la nieve. Debajo del cuerpo congelado de la joven madre, el pequeño había sobrevivido, en el refugio del calor de su madre. Lo llevaron con urgencia a un hospital y luego lo adoptó un matrimonio de misioneros que se sintió tocado por la visión de una madre que dio todo lo que tenía para que su hijo pudiese vivir.

Mucho tiempo después, cuando el muchacho cumplía 16 años, el matrimonio lo llevó a la tumba de su madre y él pidió estar solo. Cuando el matrimonio regresó, encontró que el muchacho se había quitado toda la ropa exterior, la había colocado sobre la tumba de su madre y estaba acostado boca abajo sobre ella. Estaba prometiéndole a su madre (que había dado todo para que él viviera) que él, también, daría todo para que otros tuvieran vida.[42]

Este joven oyó el llamamiento. No en su mente sino en su corazón: un llamamiento tan fuerte, que no lo podía ignorar. Mientras recorría con sus dedos el nombre de su madre grabado en la lápida, supo que ella había escrito el nombre de su hijo en su propio corazón de madre. Supo que ella lo había amado por sobre todas las cosas. Y que ella lo había dado todo por causa de ese amor. En su corazón, el muchacho sabía que no podía hacer menos. Dedicaría su vida a contarle a otros acerca de las dos personas que habían dado todo para que él viviera: su madre, y su Señor Jesucristo.

Jesús se dio por entero para usted. Entregó su vida por usted, cubrió los pecados suyos con su sangre. ¿Por qué? Porque le ama con todo su corazón. Ahora, usted es su legado en la tierra. Este año, en este mismo día, ¿quiere usted quitarse todas las capas de excusas que ha utilizado para no darse

DEL LIBRO

"[...] como había amado a los suyos que estaban en el mundo, los amó hasta el fin" (Jn 13.1b).

totalmente a Él y comenzar a vivir verdaderamente su vida, de una manera en que otros también puedan saber de Aquel que lo dio todo por ellos? (Jn 13.1b).

En Juan 13.12-17, vemos cómo Jesús da el ejemplo del amor compasivo y de la actitud de servicio, lavando los pies de sus discípulos. No lo hizo para hacerse el simpático. Lo hizo con un propósito más elevado: para extender su misión aquí en la tierra después que se fuera. Los hombres cuyos pies humildemente lavó, tenían que salir al mundo a servir a Dios, servirse unos a otros y servir a todos aquellos a quienes les llevaran el mensaje de salvación. Jesús les dio el ejemplo, al representarlo en vivo. Ningún acto era demasiado servil para Él. Demostró un compromiso total. Demostró un amor incondicional.

¿Cuáles excusas para no comprometerse totalmente para compartir el amor de Cristo, necesita pedirle a Dios que le quite hoy? Escríbalas a continuación. Pídale a Dios que le perdone, por permitir que excusas endebles le hayan impedido responder a su llamado. Ore pidiendo victoria sobre esas excusas.

_____

_____

Cuando Dios le aceptó como su hijo o hija, usted estaba respondiendo a su primer llamado: el llamado a dejar todo lo que había hecho mal en su vida, a los pies del único que podía perdonarle y hacerle libre para llegar a ser todo lo que nunca imaginó poder ser. Fue un regalo milagroso, imposible de pagar.

Ahora, cada vez que usted sale de su cama en la mañana, los pies de Él también tocan el piso junto a usted. Y usted oye su segundo llamado (a ser como Él), a seguir sus pisadas, ya sea que esas pisadas le conduzcan a la cumbre de la montaña o a los pozos negros de la vida.

El Salmo 23 es el manto de promesa que le envuelve en su calor, al dar cada paso en su vida. Promete que Él le guía en cada paso a lo largo del camino. Él nunca le dice que continúe su camino solo, sin Él; nunca se aparta de su lado ni suelta su mano. Está con usted su amigo constante y siempre cercano.

Para hacer suya, en forma personal, esta presencia permanente, complete con su nombre los espacios en blanco del Salmo 23, y lea el pasaje en voz alta.

"Jehová es el pastor de _____; nada le faltará a _____ En lugares de delicados pastos hará descansar a _____; Junto a aguas de reposo pastoreará a _____ . Confortará el alma de _____; guiará a _____ por sendas de justicia por amor de su nombre. Aunque

_____ ande en valle de sombra de muerte, _____ no temerá mal alguno, porque tú estarás con _____; tu vara y tu cayado le infundirán aliento a _____ Aderezas mesa delante de _____ en presencia de los angustiadores de _____; unges la cabeza de _____ con aceite; la copa de _____ está rebosando. Ciertamente el bien y la misericordia seguirán a _____ todos los días de su vida, y en la casa de Jehová _____ morará por largos días
(Sal 23).

¡Qué promesa extraordinaria! ¡Qué poder prometido! Gracias al sacrificio de Cristo, usted es guiado y guardado para siempre por Dios. Alégrese y llénese de ánimo por eso. Y sea por siempre agradecido. Y entonces responda valientemente al llamado del reino; al llamado de la Gran Comisión que le prohibe guardar para sí el gran amor de Jesús y que le envía al mundo a buscar a otros para acercarlos a Jesús (Mt 28.19-20), de manera que ellos también puedan "morar en la casa de Jehová por largos días".

Su corazón transformado, da testimonio de que usted respondió al llamado de la cruz; su vida transformada da testimonio de que usted ha respondido al llamamiento a ser como Jesús. Ahora su corazón, que tiene ese sentido de urgencia, debe responder al llamado de la Gran Comisión. ¿Lo hará usted? ¿Está dispuesto o dispuesta a entregar su vida así como lo hizo Jesús? ¿Está dispuesto a entregar su vida como lo hizo esa joven madre? ¿Está dispuesto a entregar su vida como lo hizo el hijo de ella? ¿Está dispuesto?

Esta es su vida: Algunos lo dieron todo

Piense en una persona en su vida que haya hecho un gran sacrificio por usted. Podrá ser un integrante de su familia, un amigo o amiga o un desconocido. Escriba el nombre de esa persona.

_____

Tómese tiempo hoy para comunicarse con esa persona, con el propósito de expresarle su gratitud de corazón por el sacrificio de amor que hizo. Si no le es posible comunicarse con esta persona porque ha muerto, escríbale una carta según se la dicte su corazón y guarde esa carta en su Biblia como un permanente recordatorio de alguien que lo dio todo por usted. Y que sea para usted un recordatorio para darse totalmente a favor de otros.

LO PRINCIPAL

Diariamente, usted necesita responder al llamamiento de darse totalmente para que otros puedan llegar a conocer a Jesús como lo conoce usted.

PUNTO DE CONTROL

Piense en alguien que usted conoce y que necesita saber que Jesús se dio todo por él o ella. Escriba a continuación el nombre de esa persona y háblele de Cristo esta semana.

_____

Día dos: La tarea no será fácil

A los misioneros Von y Marge Worten se les pidió que fueran a ministrar a una tribu que vivía en Asia, en un lugar remoto, a gran altura. La decisión de aceptar esta oportunidad fue algo fácil. Llegar hasta esa aldea remota era otra cosa. Significaba escalar una montaña de 1.300 metros, bajar del otro lado a un valle surcado por un río, escalar otra montaña y volver a bajar al valle, y volver a subir 1.650 metros. A las cinco horas de iniciado el viaje, los cansados escaladores no habían alcanzado la cresta de la primera montaña. Marge se desplomó bajo un árbol, demasiado exhausta como para siquiera sollozar; no obstante, lágrimas de aflicción se escurrieron de sus ojos y rodaron hasta meterse en sus oídos. Y estando allí, totalmente abrumada e impotente, le dijo a Dios: "Señor, ¿qué hago? No puedo seguir; no puedo volver atrás. Ni siquiera me puedo levantar. ¿Qué hago, Señor?"

Dios le respondió con tanta claridad como si hubiese hablado en voz audible: "Marge, yo subí hasta la cumbre del Calvario por ti". Y en ese momento Marge supo que Dios la iba a llevar a través de esas montañas hasta la aldea. El resto del viaje fue una experiencia de la gracia de Dios. En la agonía de cada paso, Marge aprendió que la gracia de Dios es suficiente, pero que esa gracia no necesariamente quita el dolor. La gracia vino en la forma del bastón de su esposo Von. Él, literalmente la arrastró cuesta arriba de la montaña, mientras ella se tomaba del bastón. Durante el descenso, apoyaba sus manos sobre los hombros de Von y pisaba dentro de las marcas de las pisadas de él. La gracia vino a través de saber que había gente orando por ella. La gracia vino cuando Dios ponía en su mente cada uno de los versículos que ella aprendió, relacionados con la fortaleza y el poder de Dios (Fil 4.13; 2 S. 22.33; Sal 28.7-9).

Cuando por fin se acercaban a la aldea, Marge podía oír a los pobladores que cantaban: *"¡Ven, vamos juntos a la casa de mi Padre, donde hay gozo, gozo, gozo!"* Hoy, cuando Marge oye esa canción, su mente vuelve a la noche aquella en que, bajo un cielo tachonado de estrellas, con una mezcla de cansancio, gratitud, dolor en todo su cuerpo, y sí, también, mucho gozo, entró a la aldea en los Himalayas con la plena certeza de que había sido la pura gracia de Dios la que la había traído hasta allí.

Y lo que allí le esperaba, bien valió la pena la intensa agonía del esfuerzo. Dios le regaló centenares de nuevos creyentes que estaban orando con corazones quebrantados para que alguien viniera a enseñarles de Jesús. Y porque Dios había preparado de una manera muy especial a Von y Marge para enseñar verbalmente las verdades de la Palabra de Dios a creyentes nuevos que nunca habían visto una Biblia, la transformación operada en estos creyentes sedientos fue algo milagroso. Durante los días siguientes sucedieron muchas cosas que validaron con creces el esfuerzo del viaje. Pero aquello por lo cual Marge más agradece a Dios, es por esa seguridad comprobada y experimentada en toda su profundidad, de que Aquel que escaló el Calvario concede toda la gracia necesaria para que sus hijos lleven a cabo lo que Él les guía a hacer; aunque se trate de atravesar un valle de agonía.[43]

La senda a la que Dios le llama no es una fácil. A menudo le parecerá imposible, como que es una tarea demasiado grande para usted. Es en esos momentos en que se hace manifiesta su incapacidad, que verá con mayor claridad la ilimitada capacidad de Dios para sostenerle y usarle, aun cuando a usted le parezca que es imposible. La paráfrasis *The Message*, arroja luz sobre esta verdad de Mateo 5.3: *"Eres bendecido cuando tocas fondo. Ahora que hay menos de tí mismo, hay lugar para más de Dios y de su gobierno"*.

Piense en una oportunidad en que usted estaba "tocando fondo", cuando la tarea parecía aterradora o el dolor parecía demasiado grande. Describa esa circunstancia.

_____

¿Cómo encontró las fuerzas y el poder para seguir adelante?

_____

_____

¿Qué aprendió en medio de estas circunstancias, aparentemente imposibles de superar, con respecto al poder de Dios y la fuente genuina de fortaleza?

_____

_____

Quizá actualmente esté enfrentando una misión difícil. Invoque las promesas que encontramos en 1 Crónicas 16.11; Salmo 46.1; y 2 Corintios 4.6-9, como el estímulo personal de Dios mismo para usted, para que persevere contra el viento y la lluvia. Reciba poder de Él mientras busca seguir a Cristo entre las montañas y los valles de la vida.

Y tenga siempre presente esto: algunas veces, responder al llamado de Dios exige más adaptación mental que fortaleza física o emocional. Simplemente, pregúntele a Wilson Talmage, un misionero a los nativos establecidos en el valle superior del Nilo. Su viejo mini-autobús Volkswagen le permitía viajar, en una hora, a una velocidad sorprendente de ocho o nueve veces más rápido de lo que podía hacerlo a pie la persona más veloz. Era sentado al volante de un vehículo maltrecho como ese, que Wilson recorría sus circuitos de más de 200 kilómetros, uniendo las aldeas que atendía. Sus compañeros de trabajo en la misión se alegraban cada vez que divisaban la nube de polvo que acompañaba al vehículo, porque a la vez que

"Bienaventurados los pobres en espíritu, porque de ellos es el reino de los cielos" (Mt 5.3).

"Buscad a Jehová y su poder; buscad su rostro continuamente" (1 Cr 16.11).

"Dios es nuestro amparo y fortaleza, nuestro pronto auxilio en las tribulaciones" (Sal 46.1).

"Porque Dios, que mandó que de las tinieblas resplandeciese la luz, es el que resplandeció en nuestros corazones, para iluminación del conocimiento de la gloria de Dios en la faz de Jesucristo. Pero tenemos este tesoro en vasos de barro, para que la excelencia del poder sea de Dios, y no de nosotros, que estamos atribulados en todo, mas no angustiados; en apuros, mas no desesperados; perseguidos, mas no desamparados; derribados, pero no destruidos" (2 Co 4.6-9).

LO PRINCIPAL

En su propia incapacidad, usted verá con mayor claridad la capacidad ilimitada que tiene Dios para usarle; aun cuando a usted le parezca que es imposible.

PUNTO DE CONTROL

Lea nuevamente el Salmo 23, en voz alta. (Ver pp. 106-107.) Propóngase el objetivo de leerlo una vez por semana, como una afirmación de la guía permanente de Dios en su vida.

traía noticias y cálidas sonrisas, Wilson algunas veces traía valijas llenas de rojas y deliciosas manzanas de Washington; todo un lujo para ese medio.Pero un día, golpearon los problemas. La caja de cambios no respondía a ninguna de las velocidades y el viejo VW avanzaba tanto como una ballena varada en la playa. Wilson se rascó la cabeza, evaluó lo difícil de su situación y oró. El vehículo que Dios le había dado lo había llevado fielmente por caminos largos y difíciles para llevar el evangelio a otros. Y el trabajo estaba lejos de darse por terminado. Wilson no iba a dejar que una pequeñez, como una caja de cambios rota, le impidiera realizar sus recorridos antes planificados. Agradecido por el cambio que todavía funcionaba, el indomable Talmage Wilson completó su circuito de 200 Km. ¡marcha atrás! Manejar marcha atrás debe haberle causado tortícolis, pero ese precio no era una cosa terrible. Su tarea no estaba cumplida y si manejar marcha atrás era la única manera de hacerlo, ¡así sería! [44]

La tarea que Dios le encomendó a usted, tampoco está terminada. ¿Pero está usted permitiendo que contratiempos inesperados en la vida le impidan cumplir con lo que tiene determinado? Piense en algo que tiene que hacer para Cristo, pero que está en suspenso, porque hasta aquí las cosas no han salido como pensaba. Describa ese "algo".

_____

_____

Ahora, pídale a Dios que le muestre una solución que no había pasado antes por su mente, aun cuando pueda significar algunas incomodidades bastante serias. Escriba su solución creativa.

_____

_____

No hay ningún versículo en la Biblia que le aliente a pensar que lo que Dios le llame a hacer será fácil. Pero la Biblia está llena de versículos que prometen que Él le dará fuerzas cuando esté cansado; y creatividad cuando esté frente a una barrera. Descanse en la verdad de que Él lo sostendrá para pasar los momentos difíciles. Disfrute de la experiencia de comprobar cómo Él lo ilumina con ideas creativas para superar obstáculos, si tan sólo usted se las pide.

Esta es su vida: Colaboradores creativos

Comparta esa creatividad que Dios le dio. Ayude a algún otro a estar abierto a una solución creativa para lo que pudiera parecer un problema sin solución. Recuerde, dos cabezas piensan mejor que una.

Día tres: Sepa qué está en juego

Alvin Reid, profesor de evangelismo en el Seminario Bautista "Southwestern", compartió el siguiente relato en una reunión de la Sociedad Norteamericana pro Crecimiento de la Iglesia.

> El anciano alemán se paró delante del grupo, mientras las lágrimas corrían a raudales por sus arrugadas mejillas. "Yo vivía en Alemania durante el Holocausto nazi. Me consideraba un cristiano. Había asistido a la iglesia desde pequeño. Habíamos oído relatos de lo que le estaba sucediendo a los judíos, pero como la mayoría de las personas hoy en los EE.UU. de Norteamérica, tratamos de ignorar la realidad de lo que estaba ocurriendo. Después de todo, ¿qué podía hacer uno para detenerlo?"
>
> "Detrás del templo de nuestra pequeña iglesia pasaba una vía de ferrocarril y todos los domingos por la mañana oíamos a la distancia el silbato de la locomotora, seguido del golpeteo de las ruedas sobre los rieles. Un domingo, cuando pasaba el tren, nos preocupó escuchar gritos y lamentos provenientes de los vagones. Sentimos un escalofrío, al entender que el tren llevaba judíos hacia los campos de concentración. Iban como ganado, en esos vagones. Semana tras semana, sonaba el silbato de ese tren. Nos estremecía el ruido de esas viejas ruedas golpeando sobre la unión de los rieles porque sabíamos que los judíos comenzarían a clamar cuando pasaran cerca de nuestro templo. Nos sentíamos muy mal. Sabíamos que no podíamos hacer nada para ayudar a esos pobres desdichados, pero sus gritos nos atormentaban. Sabíamos exactamente a qué hora sonaría el silbato, y decidimos que la única manera de evitar sentir tanta angustia por los gritos era cantar nuestros himnos. Para cuando el tren pasaba retumbando junto a la iglesia, nosotros estábamos cantando con todas nuestras fuerzas. Y si algún grito llegaba a nuestros oídos, cantábamos un poco más fuerte para no oírlo. Han pasado muchos años, y ya nadie habla de eso, pero en mis sueños todavía puedo oír el silbato de ese tren. Y todavía puedo oír a esas personas que gritaban pidiendo ayuda".

Que la oración final que pronunció el Dr. Reid en aquella reunión pueda ser su propia oración para hoy.

DEL LIBRO

"Y el que no se halló inscrito en el libro de la vida fue lanzado al lago de fuego" (Ap 20.15).

*"Dios, perdónanos a todos los que nos llamamos
cristianos y sin embargo no hacemos nada para intervenir
cuando otros claman por ayuda. Señor, permite que en
nuestras investigaciones, estudios demográficos, estadísticas,
escritos, seminarios, conferencias y tantas otras actividades
maravillosas nunca, pero nunca, dejemos de lado la pasión
de Dios y el fundamento de todo lo que hacemos: la cruz de
nuestro Señor Jesucristo. Él vino a salvar a los pecadores y
nos pide que no nos quedemos callados, sino que por el
contrario hablemos a esos pecadores".*[45]

¿Quién está clamando hoy por su ayuda? ¿Es un vecino? ¿Un anciano
en una institución? ¿Un familiar? ¿Un padre o madre que está solo
tratando de desempeñar ambos roles? ¿Un jovencito sin padre? ¿Una
jovencita sin madre? Escriba los nombres de aquellos clamores que ha oído
recientemente.

_____

_____

_____

Si ignoró esos clamores, pregúntese por qué y escriba esas razones.

_____

_____

Ahora, sepa esta verdad. Usted, puede ser la única persona que Dios
puso al alcance de estas almas, para ganarlas para Cristo. Si usted no
presta atención a los clamores de ellas y les habla de Jesús, estas personas
que Dios confió a su cuidado, pueden llegar a pasar la eternidad separadas
de Él.

¿Es eso lo que usted quiere que suceda? ¿Le parece que Dios quiere eso?
Rotundamente, no. Él ama a esas almas tanto como le ama a usted. ¿Tiene
miedo de que le rechacen? Entonces piense en esto: Imagine por un
momento que se invierten los roles y usted está en el lugar de ellas ¿no
querría que alguien se acercara a usted con el amor de Cristo? ¿No le
gustaría que alguien le enseñara a usted cómo pasar la eternidad con Dios?

Estamos llamados a romper el silencio. Porque si no lo hacemos, el
silencio condenará a muchos a una eternidad sin esperanza. Separados de
Dios. Para siempre (Ap 20.15).

Es cierto que en ocasiones puede ser muy difícil compartir su fe con
otros. Pero como aprendió el anciano alemán, es más difícil no hacerlo.
Tiene que asumir el riesgo, porque la opción que nos queda, no es en verdad
quedarnos sin opciones.

Es cierto. En ocasiones puede ser muy difícil compartir su fe con otros.

Cassie Bernall, que murió en el tiroteo de la Escuela Secundaria Columbine en Littleton, Colorado, hizo frente al temor de compartir su fe como muy pocos lo han hecho. Cuando Dylan Klebold y Eric Harris le pusieron sus armas en la cara y le preguntaron "Cassie, ¿Tú crees en Dios?", la jovencita se enfrentó con la elección más difícil: negar su fe y posiblemente vivir o profesar su amor a Dios y seguramente, morir.

De acuerdo a algunos reportes, antes de que Cassie fuera cristiana, era considerada también como una "despreciada". Pero cuando Cassie le pidió a Cristo que reemplazara la oscuridad en su vida con su luz, todo cambió. Sus amigos estaban maravillados con el cambio. Sus maestros lo comentaban. Pero Dylan Klebold y Eric Harris lo observaban y tomaron nota de ello. Cuando ellos vieron a Cassie en la biblioteca de la escuela y le preguntaron si ella creía en Dios, los dos asesinos sabían de antemano la respuesta. La vida de Cassie ya había dado la respuesta públicamente y en voz alta. Lo que ella no podía saber cuando respondió verbalmente, "Sí, yo creo en Dios", era que su testimonio iba a oírse alrededor del mundo mucho después de cesar el ruido de los disparos. Pero antes de decir sus últimas palabras Cassie sabía, sin duda alguna, que ninguna bala podía separarla del amor de Dios o de la vida eterna que Él le había prometido cuando ella le entregó su vida a Cristo. Poniéndolo todo en juego, Cassie dio su vida por el nombre de Cristo, como Cristo había dado la suya por ella.

El mundo cambió para siempre por la muerte de Cristo y ahora muchas vidas han cambiado porque una jovencita de 17 años, no guardó silencio acerca de su fe en Dios. Ni en presencia de la misma muerte.

Mire a aquellos a su alrededor. Dese cuenta de lo que está en juego. ¿La eternidad de quien está en peligro por causa de su silencio? Es tiempo de hablar. Es tiempo de ser oídos. Es tiempo de estar firmes por Cristo. No importa el costo. ¿La eternidad de quién se arriesga con su silencio?

Esta es su vida: Jesús en usted

Piense en aquellas personas que mencionó en la página anterior. Deténgase y ore por cada una de ellas ahora. Luego tome el teléfono, cruce la calle, tome el colectivo, el automóvil, haga lo que sea, para comenzar a alcanzar a esas personas que están clamando por su ayuda. Usted podría ser la única imagen de Jesús que ellos lleguen a ver en su vida.

LO PRINCIPAL

Usted está llamado a romper el silencio. Porque si no lo hace, su silencio condenará a muchos a una eternidad sin esperanza, sin posibilidad de acceso al amor de Dios, a la luz de Dios, para siempre.

PUNTO DE CONTROL

Describa la manera en que su relación con Jesús es más profunda hoy, de lo que era cuando comenzó este estudio.

_____
_____
_____
_____
_____
_____
_____
_____
_____

Día cuatro: Sepa cómo termina la historia

DEL LIBRO

"Y conoceréis la verdad, y la verdad os hará libres. Así que, si el Hijo os libertare, seréis verdaderamente libres" (Jn 8.32, 36).

"Y libertados del pecado, vinisteis a ser siervos de la justicia" (Ro 6.18).

"Estad, pues, firmes en la libertad con que Cristo nos hizo libres, y no estéis otra vez sujetos al yugo de esclavitud" (Gá 5.1).

"Pero de ninguna cosa hago caso, ni estimo preciosa mi vida para mí mismo, con tal que acabe mi carrera con gozo, y el ministerio que recibí del Señor Jesús, para dar testimonio del evangelio de la gracia de Dios" (Hch 20.24).

En una oportunidad, un pastor predicó un sermón teniendo como única ilustración para su mensaje, una jaula para pájaros vacía. Contó la historia de un muchacho que alguna vez fue dueño de la jaula y sus ocupantes. Un viejo pastor, que había estado observando al muchacho y sus pájaros, le preguntó: *"¿Dónde conseguiste esos pájaros, hijo?"*

"Los atrapé", respondió el joven.

"¿Y qué vas a hacer con ellos?" preguntó el buen pastor.

"Jugar", respondió el muchacho.

"¿Y que harás con ellos después?" preguntó el pastor.

"Supongo que se los daré a los gatos para comer".

"¿Cuánto quieres por ellos?" preguntó el sabio pastor.

"No creo que le interesen estos pájaros, señor; son pájaros comunes del campo", dijo el muchacho.

"¿Cuánto?" insistió el pastor.

Pronto llegaron a un acuerdo, y el anciano Pastor se hizo cargo de la jaula llena de pájaros. Tomó la jaula, caminó hasta la esquina y entró en la otra calle y cuando nadie lo veía, dejó en libertad a los pájaros.

El mensaje de Gordon continuó.

En cierta oportunidad, Dios se cruzó con Satanás, que salía del Jardín del Edén con una jaula llena de personas.

"¿Dónde conseguiste esas personas?" preguntó Dios.

"Las atrapé", respondió Satanás.

"¿Y qué vas a hacer con ellas?" preguntó Dios.

"Jugar", respondió tajante Satanás.

"¿Y que harás con ellas después?"

"Las voy a matar", espetó el diablo.

"¿Cuánto quieres por ellas?" preguntó el Señor.

Satanás pensó unos segundos y le susurró: "Todas las lágrimas que puedas llorar y toda la sangre que puedas derramar".

Llegaron a un acuerdo y la jaula cambió de manos. Y cuando nadie estaba mirando, en una noche serena, en un solitario establo, Dios hizo libre a la humanidad (Jn 8.32, 36; Ro 6.18; Gá 5.1).[46]

Libertad. Eso es lo que usted tiene. Eso es lo que nació en un pesebre y lo que se pagó en la cruz: libertad para vivir y reinar para siempre con Jesús. ¡Qué futuro tenemos ahora! Los parasicólogos y espiritistas podrán pretender predecir el futuro. Pero como hijo de Dios, usted conoce el futuro.

El camino por delante podrá ser largo, con muchas curvas y subidas y bajadas. Pero usted sabe dónde finaliza: Dios reinará. El amor conquistará al odio. La luz dispersará a las tinieblas. Y usted vivirá eternamente con Él. El anhelo de perfección de su corazón, finalmente será satisfecho. La visión de eternidad se convertirá en la realidad de eternidad.

La victoria está asegurada. Todo lo que necesita hacer es terminar la carrera (Hch 20.24). Usted ha dedicado estas últimas seis semanas a descubrir que su propósito para la vida es glorificar a Dios; amar su llamamiento, confiar en él y obedecerlo de manera que otros también lleguen a conocerlo a Él. Es un alto llamamiento y a menudo difícil. Pero ahora que usted sabe que Jesús es el corazón mismo de Dios y que Dios quiere que usted sea igual que Jesús, usted recibirá de Dios el poder para vivir como Jesús vivió. Para amar como Jesús amó. Para confiar como Jesús confió. Para obedecer como Él obedeció.

Dios le cambió y le seguirá cambiando, desde adentro hacia fuera, para su gloria y honra. *"Así que, esto es lo que quiero que hagan, con la ayuda de Dios: Tomen su vida normal, la de todos los días -su dormir, comer, ir a trabajar y todo lo que hacen en la vida- y pónganlo delante de Dios como una ofrenda"* (Ro 12.1-2, paráfrasis de *The Message*). Fije su atención en Dios. Y observe cómo Él le convierte en un milagro andante.

Hoy es, sin duda alguna, el primer día del resto de su vida. Que sea una vida que vive a Jesús de corazón.

Esta es su vida: Enseñarle al mundo a cantar

Supongamos por un momento que usted no tiene oído musical para nada. Que cuando canta en la ducha, los azulejos del baño piden, por favor, un poco más de espuma de jabón, para amortiguar el ruido. Luego imagine que, milagrosamente, al despertar esta mañana, tenía la voz más fina y delicada que el canto podía pretender. Una voz que hace parecer que los mejores cantantes ladran. Una voz de las más angelicales que uno puede conseguir en esta tierra. Pero usted decide nunca usarla. Nunca entonar ni una nota. Qué pena, qué desperdicio, qué pecado sería eso. El mundo lloraría.

Su corazón transformado tiene una nueva voz. Y es hora de que se ponga a cantar. Su voz tiene el mensaje que puede transportar a otros al cielo. No cantar nunca con la nueva voz que Él le dio, sería una pena, un desperdicio, un pecado. El mundo llorará si usted permanece en silencio.

Usted es la voz de Jesús; cante la canción de Él.

La victoria final de Dios sobre todo pecado es segura. Y el saber cómo termina la historia, hace que sea más fácil empezar cada día.

PUNTO DE CONTROL

Recorra todo el estudio y repase todos los "puntos de control". Descubrirá el progreso que ha logrado durante estas últimas seis semanas. Escriba tres nuevos "Puntos de Control", con los que le gustaría desafiarse en las próximas semanas.

_____

_____

_____

_____

_____

_____

Día cinco: Conviértase en emisario de Dios

Tom Spencer se acomodó en el pequeño vehículo eléctrico que lo llevaría a él y a su guía, por un túnel de 1 metro de alto y tres kilómetros y medio de largo, hacia el interior de una de las minas de carbón de Kentucky.

"Cuando mi abuelo trabajaba en las minas, tenía que confiar su vida a un canario", dijo el minero. En la penumbra polvorienta, mientras el túnel se cerraba alrededor de ellos, Tom giró la cabeza para mirar al minero. "¿Un canario?" preguntó nervioso. El minero asintió con la cabeza y dijo: "En aquel entonces, la vida de un minero no duraba mucho más allá del canto de un pájaro... si es que el canto cesaba".

Explicó que un gran peligro en las minas es el "grisú", que es una mezcla inodora y altamente combustible, de aire y gas metano formada por la descomposición del carbón. Mientras él y Tom avanzaban hacia el interior de la mina, le mostraba a Tom los modernos dispositivos que se usan en la actualidad para detectar el gas metano. Antes de contar con esta tecnología, era costumbre tener un canario en lo más profundo de las minas, donde el pobre cantaba a la vida, sin importarle en absoluto el ruido y la actividad. Sin embargo, si el grisú que los mineros no podían detectar, comenzaba a acumularse en los pasillos, el canario dejaba de cantar. En el silencio aterrador que seguía, ese silencio que forma un nudo en la garganta, los mineros sabían que tenían un pequeño margen para escapar antes que la acumulación de gas explotara. Y si el canario se moría, la oportunidad de escapar desaparecía.[47]

Esa misma clase de silencio aterrador también puede oírse hoy en el mundo. A pesar de la paz y prosperidad sin precedentes que existen en nuestro tiempo, un pesimismo terrible y el temor al futuro, flotan como una nube oscura. Hay frustración, desasosiego acumulado y una sensación de confusión e incertidumbre y hasta terror. El interés en los ángeles es señal de que la gente está buscando algo más allá de este mundo. Saben que algo les está faltando a sus vidas; pero no saben exactamente qué es.

En este silencio aterrador, que forma un nudo en el estómago, usted tiene un margen de oportunidad de ser un instrumento que Dios use para cambiar al mundo. Es la transformación espiritual interna de cada creyente, lo que hará que el mundo deje de mirar a los ángeles para poner sus ojos en el Dios que los creó. Y es la aplicación que Dios hará de su nuevo ADN espiritual, lo que les mostrará aquello que está faltando en sus vidas.

Este estudio ha servido para mostrarle, paso a paso, la manera en que Dios, a través del milagro de su Hijo, le dio a usted una nueva identidad;

y como consecuencia, la libertad de llegar a ser lo que nunca imaginó que podría ser.

Su nuevo ADN espiritual, totalmente compatible con el de Cristo, inunda su espíritu. Le da a usted una visión que le capacitará para cantar aun cuando los leones rujan, porque este mundo no es su hogar, es simplemente un escalón a la eternidad con Dios. Ya para este momento, usted comprende que no hay nada que pudiera haber hecho para llevar a cabo esta transformación espiritual. Es verdadera y total, un milagro de Dios. Cada día, en alguna pequeña manera, Él le está transformando en la semejanza de Jesús. Él le acuna en sus brazos amorosos y le da la capacidad de amarlo, confiar en Él y obedecerlo, en cada paso que da, cada vez que respira; así como hizo Jesús.

Pero con la transformación viene la responsabilidad. Con su corazón y durante su corto tiempo sobre la tierra, Jesús cambió para siempre al mundo. Ahora, usted está llamado a ser un instrumento de cambio, en el mundo en que usted vive durante su permanencia sobre la tierra. Dios le usará a usted y a su personalidad única para generar cambios, no en virtud de quién es usted, sino de quién es su hijo, uno que conoce y ama a Jesús.

Así como Pablo le dijo a Filemón que Onésimo era su mismo corazón; así como Dios les dijo a los discípulos que Jesús era su mismo corazón; usted está ahora en el corazón mismo de Dios. Usted es su emisario, su carta de amor a los que están buscando la esperanza, en un mundo perdido.

"Y se ve claramente que ustedes son una carta escrita por Cristo mismo y entregada por nosotros; una carta que no ha sido escrita con tinta, sino con el Espíritu del Dios viviente; una carta que no ha sido grabada en tablas de piedra, sino en corazones humanos" (2 Co 3.3, DHH).

La transformación espiritual es la obra de Dios de cambiarnos a la imagen de Jesús mediante la creación de una nueva identidad en Cristo, además de capacitarnos para tener para toda la vida una relación de amor, confianza y obediencia que glorifique a Dios.

Dios le dio a usted la respuesta a los interrogantes que el mundo se plantea: le creó para una relación personal con Él. Él obrará a través de usted para secar las lágrimas silenciosas de los perdidos. Dios le usará como su voz para decirles a otros para qué nacieron y cuál es el propósito para sus vidas. Pero usted debe hablar ahora. Debe responder al llamado: vivir como Jesús vivió, amar como Jesús amó, obedecer como Jesús obedeció, confiar como Jesús confió y glorificar a Dios como lo hizo Jesús. No hay misión mayor. No hay llamamiento más alto. Pero el tiempo es ahora. La ventana de la oportunidad se va haciendo cada vez más pequeña. Su corazón, que Dios transformó con un propósito especial, necesita adquirir un sentido de profunda urgencia.

Porque el canario dejó de cantar. Y queda tanto aún por hacer...

Esta es su vida: *Escriba una carta de amor*

Escriba el versículo bíblico que refleje su compromiso personal de ser así como era Jesús.

_____
_____
_____
_____
_____

LO PRINCIPAL

¿Qué es lo más importante que usted aprendió de este estudio?

_____
_____
_____
_____
_____
_____

Tómese un momento, para testificar cómo Dios le está transformando para ser como Jesús. Guarde esto como su carta personal de alabanza a Dios por las cosas milagrosas que ya hizo y que sigue haciendo en su vida.

_____
_____
_____
_____
_____
_____
_____
_____
_____
_____
_____
_____
_____
_____
_____
_____
_____
_____
_____
_____
_____
_____
_____
_____
_____
_____
_____

Un momento con el Señor

"Yo soy la vid, y ustedes son las ramas. El que permanece unido a mí, y yo unido a él, da mucho fruto; pues sin mí no pueden ustedes hacer nada" (Jn. 15.5, DHH)

Cuando Jesús habló estas palabras estaba revelándose a sí mismo como el núcleo de la vida, su fuente misma. El poder y el amor de Jesús fluían de su perpetua comunión con su Padre. Y se hacía evidente en la manera en que Jesús vivía cada segundo de su vida.

El *permanecer* en Cristo significa una comunión ininterrumpida con Jesús: ninguna separación. Él es la fuente de su vida y su fuerza espiritual. Si es que usted va a vivir la vida que Dios le tiene preparada, los nutrientes que vienen de Jesús no pueden fluir por un tiempo, cesar y luego volver a fluir. El alimento que proviene de Él necesita fluir constantemente, momento a momento. Porque usted no puede hacer nada sin recibir en forma constante el poder de Dios.

Cuando uno permanece con Jesús, momento a momento, su vida queda tan ligada a Él que el fruto se produce naturalmente. Y Dios es glorificado por el fruto que producimos. Jesús lo expresa claramente en Juan 15.8: *"En esto es glorificado mi Padre, en que llevéis mucho fruto"*. Lo que Jesús está diciendo es que cuando usted permanece diariamente con Él, otros lo verán a Él fluyendo a través de su vida y sentirán hambre por tener lo que usted tiene. Tendrán tanta hambre de ese toque de sanidad que usted pueda darles, como la tuvieron aquellos que caminaron en esta tierra con Jesús.

¿Es realmente posible estar en contacto permanente con Jesús? Sí, es posible. A continuación de esta sección "Un momento con el Señor" hay una sección especial sobre la vida de Frank Laubach, un misionero y educador que decidió dedicar su vida a estar en contacto con Jesús todo el tiempo: a vivir a Jesús de corazón. Esto cambió la vida de Frank. Y cambiará la suya. Tome en serio el mensaje de Jesús en Juan 15, de la misma manera en que verá que Frank Laubach lo tomó en serio. Deje que este pasaje de las Escrituras se convierta en la luz de su camino cada día, cada momento de su vida. Porque su vida sin Jesús no tiene sentido.

Jesús es la fuente de vida

Una vida bien vivida

Frank Laubach, nacido en los EE.UU. de Norteamérica en 1884, fue un misionero a los analfabetos. En sus años más jóvenes se dedicó a enseñar a otros a leer para que ellos también pudieran abrazar la palabra de Dios. Pero aunque Laubach estaba sirviendo diariamente a otros, no estaba conforme con su vida espiritual y a los 45 años de edad comenzó a registrar en su diario su firme decisión de vivir en "constante conversación interior con Dios y en una actitud de total respuesta a la voluntad de Él".[48]

Cuarenta años más tarde, cuando Laubach dio lo que para él fue un paso muy corto, para pasar de lo temporal a lo eterno, era uno de los hombres más conocidos y más amados del Siglo XX. Las obras que realizó son incontables, pero el manantial de vida para la fructífera experiencia de este hombre increíble, se encontraba geográficamente en una pequeña loma detrás de la humilde cabaña en que vivía en la isla de Mindanao, en las Filipinas. Era allí que Laubach escribía las experiencias de cómo buscaba todos los días el vivir permaneciendo constantemente en Cristo.

Incluimos a continuación algunas de las anotaciones del diario de Frank Laubach, orando para que ellas perduren mientras queden cristianos sobre la tierra. Mientras usted lee las palabras de Frank, subraye aquellas maneras en que Dios capacitó a este hombre para poder conocer a Jesús de corazón y para estar en contacto con Él todo el tiempo. Esta ilustración es un ejemplo de alguien que aprendió a seguir a Jesús de corazón. Responde a la pregunta: ¿Puedo yo conocer, amar y vivir a Jesús de corazón?

Enero 20, 1930

"Aunque he sido un ministro y misionero por quince años, no he vivido todos los días todo el día, minuto a minuto, siguiendo la voluntad de Dios. Hace dos años una profunda insatisfacción me llevó a tratar de armonizar mis acciones con la voluntad de Dios cada 15 minutos o media hora. Otras personas a quienes les confesé esta intención me dijeron que era imposible. A juzgar por lo que he oído, pocas son las personas que realmente están tratando de hacer al menos eso. Pero este año, he comenzado a vivir todos mis momentos ambulantes en una actitud consciente de escuchar la voz interior preguntando sin cesar: 'Padre, ¿qué quieres decir por mi boca? ¿Qué deseas, Padre, en este momento?' Es claro que esto es exactamente lo que Jesús decía todo el día, todos los días".

Enero 29, 1930

"Siento que simplemente soy conducido cada hora haciendo mi parte en un plan que está mucho más allá de mí. Este sentido de cooperación con Dios en pequeñas cosas, es lo que tanto me sorprende porque nunca lo había sentido de esta manera anteriormente. Necesito algo y no tengo más que girar y encontrarlo esperándome. Debo trabajar, sin duda, pero allí está Dios trabajando a mi lado. Dios se hace cargo de todo lo demás. La parte que a mí me toca es vivir esta hora en continua conversación interior con Dios y respondiendo con precisión a su voluntad; y la riqueza de esta hora es algo glorioso. Esto parece ser todo aquello en lo que necesito pensar".

Marzo 1, 1930

"Cada día crece en mí esa sensación de ser guiado por una mano invisible que toma la mía, a la vez que otra mano se proyecta adelante y prepara el camino. No necesito esforzarme en absoluto para encontrar oportunidades. Se presentan ininterrumpidamente como las olas que llegan a la playa, y no obstante, hay tiempo para ejercer la voluntad sobre las oportunidades. Posiblemente, un hombre ordenado al ministerio desde 1914 debiera sentir vergüenza de confesar que nunca antes sintió el gozo de esa — ¿cómo podría llamarla?— más que rendición, a cada hora, minuto a minuto. Antes, había conocido la rendición. Es más que escuchar a Dios. Había intentado eso antes. No puedo encontrar la palabra, que le transmita a usted o a mí siquiera, lo que estoy experimentando ahora. Es un acto de la voluntad. Obligo a mi mente a que se abra directamente a Dios. Espero y escucho en una actitud decididamente receptiva. Fijo mi atención allí y a veces me toma un largo tiempo temprano por la mañana. Resuelvo con determinación, no salir de la cama hasta que esa actitud mental esté decididamente centrada en el Señor. Después de un tiempo, quizás, llegue a ser un hábito y la sensación de estar realizando un esfuerzo será menor".

Marzo 23,1930

"Una pregunta que ahora debe ser puesta a prueba es esta: ¿Es posible tener ese contacto con Dios todo el tiempo? ¿Todo el tiempo que uno está despierto, dormirse en sus brazos y despertarse en su presencia? ¿Podemos lograr eso? ¿Podemos hacer su voluntad todo el tiempo? ¿Podemos pensar sus pensamientos todo el tiempo?"

Abril 18, 1930

"He gustado de un entusiasmo y una profunda alegría en la comunión con Dios y esa experiencia ha hecho que todo lo que sea discordante con Él me resulte desagradable. Esta tarde, el tener a Dios me llenó de tanta alegría que me pareció que nunca había sentido algo así. Dios estaba tan cerca y tan admirablemente hermoso que sentía que me derretía, invadido por una satisfacción inmensa y a la vez inexplicable. A partir de esta experiencia que ahora se repite varias veces en la semana, rechazo todo contentamiento en lo inmundo porque sé de su poder para apartarme de Dios. Y después de una hora de compartir la intimidad de nuestra amistad con Dios, mi alma se siente limpia, como nieve recién caída".

Mayo 14, 1930

"Oh, esto de mantenerme en permanente contacto con Dios, de hacer de Él el objeto permanente de mis pensamientos y el compañero de mis conversaciones es lo más maravilloso que jamás me haya sucedido. Funciona. No logro hacerlo ni la mitad del día; no aún, pero estoy seguro de que un día lo estaré haciendo durante todo el día. Se trata de adquirir un nuevo hábito de pensar. Ahora disfruto tanto de la presencia del Señor que cuando por una hora o algo así Él se escapa de mi mente (como a menudo sucede muchas veces en el día), siento como que lo he abandonado y como si hubiera perdido algo muy precioso en mi vida".

Junio 1,1930

"El lunes pasado fue el día más exitoso de mi vida hasta aquí, en lo que se refiere a entregar mi día en completa y permanente rendición a Dios (aunque anhelo días aún mucho mejores), y recuerdo la manera en que, al mirar a la gente con un amor que Dios me daba, ellos también me miraban largamente a mí y por su actitud parecía como si quisieran venir conmigo. Y fue así, que durante un día percibí un poco de esa maravillosa atracción que tenía Jesús cuando recorría día tras día los caminos, 'saturado' de Dios y radiante, como resultado de la interminable comunión de su alma con su Padre".[49]

Una palabra de los autores

Frank Laubach, encontró una gran verdad en su peregrinaje. Descubrió que tenía una capacidad ilimitada para crecer espiritualmente en su relación con Dios. Usted posee esa misma capacidad ilimitada. No hay fronteras para lo que usted puede llegar a ser al rendir su vida a un permanecer constantemente en Jesús. Al concluir este estudio quiera usted buscar, como hizo Frank Laubach, el transitar el camino de su vida, día tras día, momento a momento, "saturado de Dios" y radiante, como resultado de la incesante comunión de su alma con Él. Dios le bendiga al recorrer este camino de conocer, amar y vivir a Jesús de corazón.

Unas palabras del editor:

Como creyentes en Cristo Jesús nosotros también, seríamos bendecidos al saber de aquellas maneras en que Dios está obrando en su vida, para transformarle a la semejanza de Jesús. Si quisiera contarnos su testimonio personal de transformación, por favor envíelo junto con su nombre, dirección y teléfono, a:

Departamento Multicural de Liderazgo
Sección Editorial
127 Ninth Avenue North
Nashville, TN 37234-0180
U.S.A.

Puede también comunicarse con nosotros por fax al 615-251-2710 o por correo electrónico a libroscristianos@lifeway.com

Si usted autoriza que su testimonio sea publicado en alguna futura publicación de LifeWay, como un testimonio de la obra de Dios en la vida de un creyente, por favor firme a continuación y escriba la fecha en que firma. Le comunicaremos si su testimonio se publica.

Nombre y apellidos _____

Fecha _____

Firma _____

Dirección _____

Ciudad, Estado, Provincia, etc. y Código Postal _____

Teléfono _____

Dirección de correo electrónico _____

Pasos siguientes para la transformación espiritual

El paso siguiente para la transformación espiritual es permanecer en la Palabra de Dios. Una sugerencia adicional sería repasar este libro. Ore acerca de la posibilidad de guiar a un grupo pequeño en el estudio de este proceso.

Los materiales siguientes, le servirán como excelentes herramientas para ayudarle en su estudio continuado de la Palabra de Dios. Cada uno de estos materiales puede estudiarse de manera individual, en células o en un grupos pequeños.

Discipulado transformador: Su iglesia ayudando a las personas a ser como Jesús, por Barry Sneed y Henry Webb. Este libro ayudará a los líderes de la iglesia a desarrollar o fortalecer el ministerio de discipulado de la iglesia. Será una ayuda para las iglesias sin importar su tamaño o circunstancias, para crear el clima y sentar los fundamentos para la transformación espiritual. El clima para la transformación espiritual mantiene la atención centrada en nuestra relación con Jesús. Dios hace su obra de cambiar a un creyente a la semejanza de Jesús mediante la creación de una nueva identidad en Cristo y de capacitar para una relación -para toda la vida— de amor, confianza y obediencia que glorifiquen a Dios.

My Identity in Christ [Pronto estará disponible], por Gene Wilkes. Este libro ayudará tanto a los nuevos creyentes como a los maduros a saber quiénes están en Cristo. Puede ser una herramienta poderosa para cambiar el concepto que los nuevos creyentes tienen de sí mismos, de la iglesia y del propósito de Dios para sus vidas. Es el primer paso en el peregrinaje de ser transformados a la semejanza de Cristo. (No hay fecha todavía para la aparición de la traducción al español)

Mi experiencia con Dios: Cómo conocer y hacer la voluntad de Dios, por Henry Bla ckaby. Este curso enseña a los creyentes a identificar dónde Dios está obrando para unirse a Él en lo que está haciendo. Es un recurso indispensable para entender qué es lo que Dios espera que hagamos.

La mente de Cristo, por T.W. Hunt. Este curso es un recurso para ayudarnos a pensar cómo lo haría Cristo en cada una de las situaciones a que nos enfrentamos cada día. Su autor empleó más de veinte años en el desarrollo de este proceso.

La vida en el Espíritu, por Robertson McQuilkin. Este estudio sobre el poder y la acción del Espíritu Santo ayuda a los creyentes a experimentar una relación profunda y llena de amor con Dios para tener una vida personal eficaz y un ministerio que puede hacer la diferencia en nuestro mundo.

Vida discipular, por Avery T. Willis, Jr. Este estudio clásico consta de cuatro cuadernos de trabajo de seis semanas cada uno. A medida que los creyentes aprenden a practicar seis disciplinas bíblicas, Jesús transforma su conducta; los lleva al desarrollo de valores del reino y los integra a la misión de Cristo en el hogar, la iglesia y el mundo.

El liderazgo de Jesús: Cómo ser un líder servidor, por Gene Wilkes. Este estudio de seis lecciones, anima a los creyentes a seguir el ejemplo y las enseñanzas de Jesús, habla de su liderazgo y de su servicio. Los participantes descubren cómo Dios los prepara para el servicio a través de sus dones espirituales, experiencias de la vida, la manera de relacionarse con los demás, sus capacidades vocacionales y su entusiasmo. Se trata de una poderosa herramienta para la capacitación de líderes y el desarrollo de ministerios en equipo.

Testifique de Cristo sin temor, por William Fay y Ralph Hodge. Este material de evangelismo es una manera de hablar de Cristo dependiendo del poder del Espíritu Santo y la Biblia, sin requisitos de memorización de versículos. Ayuda a los participantes a superar los temores de fracaso y rechazo por obedecer a Jesús.

Vivir la Palabra de Dios, por Waylon B. Moore enseña cómo aplicar a la vida la Palabra de Dios y cómo acogerse a sus promesas por medio de la oración, la meditación y la memorización de pasajes bíblicos. Este estudio proporciona un método para estudiar la Biblia y mejorar el tiempo devocional personal.

Tuyo es el reino, por Gene Mims este recurso ayuda a entender la realidad y la plenitud del reino de Dios e insta a buscarloß como meta en la vida. Es una ayuda importante para guiar a los participantes a desarrollar una vida recta de acuerdo con la voluntad del Padre Celestial.

Todos estos materiales pueden ser ordenados en los Estados Unidos, Puerto Rico y Canadá a nuestro Departamento de atención al cliente al teléfono 1-800-257-7744 (8:00 a.m. a 12:30 p.m. Hora del Centro), fax 1-615-251-5393 o mediante un mensaje electrónico a: *customerservice@lifeway.com* o en las librerías LifeWay. También puede ordenarlos visitando nuestro website en el Internet http//:www.lifeway.com/spanish, donde además podrá encontrar otros recursos que le ayudarán al desarrollo de su vida cristiana y al de su ministerio. Fuera de los Estados Unidos, Puerto Rico y Canadá, pídalos a su librería cristiana favorita.

Notas al pie de página

1. *As Told*, Ralph Hodge, Gallatin, Tennessee. Usado con permiso.
2. Ralph Hodge, Obra citada.
3. *Just Like Jusus*, Max Lucado,Nashville, Word Publishing, Thomas Nelson, 1998.
4. *"Mary Did You Know?"* Letra de Buddy Greene, Musica de Mark Lowry, Copyright © 1991, Rufus Music y Word Music, Todos los derechos reservados, Usado con permiso.
5. *The Way of Holiness*, Stephen Olford, Copyright © 1998. Usado con permiso de Good News Publishers/Crossway Books, Wheaten, Illinois.
6. Ralph Hodge, Obra citada.
7. *Anotación a Ralph Hodge*, hecha en 1965 en la conferencia impartida por Roy Williams, Profesor de Nuevo Testamento, Cumberland College, Williamsburg, KY.
8. *"Be Thou My Vision"* Letra de Mary E. Byrne y Eleanor H. Hull, Musica de David Evans, Copyright © 1927 Revised Church Hymnary, Oxford University Press, Reprinted by The Baptist Hymnal, 1991.
9. Adaptación de *The Life God Blesses, Weathering the Storms of the Life that treaten the Soul*, Gordon McDonald, Nashville, Thomas Nelson Publishers, 1994.
10. *"The Whisper Test" en Men of Action*, Invierno de 1993, Usado con permiso.
11. *The Message*, Eugene Peterson, NavPress, 1993, 1994, 1995, Colorado Springs, Colorado, Reservados todos los derechos.
12. "Life in God", Dallas Willard, *Voice of the Vineyard*, Winter 1998.
13. *How can I help?* Ram Dass y Paul Gorman, Copyright © 1985, por Ram Dass y Paul Gorman, Usado con permiso.
14. *A Long Obedience in the Same Direction*, Eugene Peterson, Copyright © 1980 por InterVarsity Christian Fellowship, Downers Grove, Illinois, Usado con permiso.
15. *"Shine, Jesus, Shine"*, Copyright © 1989, Make Way Music Ltd., (adm. in N, S, C America by Integrity's Hosanna! Music, Reservados todos los derechos, Usado con permiso.
16. Ralph Hodge, Obra citada
17. My Life, Copyright © 1993, Columbia Pictures Industries, Inc., Reservados todos los derechos.
18. *A Dictionary of Thoughts*, Tyrond Edwards, Dickerson, Colorado, 1915.
19. *Soul Nourishment First*, George Muller, Los Angels: Bible House of Los Angeles, 1900.
20. "Where the Silence Breaks," Phil Naish, Lowell Alexander, Dave Clark, and Tony Wood, Copyright © 1998, Randy Cox Music Inc.,/BMI/Word. Reservados todos los derechos, Usado con permiso.
21. *The World of John Wesley*, Vol. 1, Nashville, Abigdom Press, United Methodist Publishing House, 1984, Usado con permiso.
22. *Home Again*, Ivy Harrington, Copyright © 1999.
23. Notas de Barry Sneed y Sam House, LifeWay Church Resources, Nashville, Tennessee, Usado con permiso.
24. *The Life You Have Always Wanted*, John Ortberg, Copyright © 1977, Usado con permiso de Zondervan Publishing House.

25. John Ortberg, *Obra citada,*.
26. Ivey Harrington, *Obra Citada,*.
27. Origen desconocido.
28. Adaptación de *Sensei; The Life Story of Irene Webster-Smith*, Rusell T. Hitt, London,Hodder and Stoughton, 1966.
29. *The Autobiography of Miss Jane Pittman*, New York, Bantam Books, a division of Doubleday, Dell Publishing Group, a division of Random House, Inc., 1971.
30. *Make Us One*, Carol Cymbala, Copyright © 1991 Carol Joy Music/ASCAP/Word, Reservados todos los derechos, Usado con permiso.
31. Adaptación de la película *Smoke*, Miramax Films, a division of HOF/EuroSpace Productions.
32. *"Welcome to Ali's Domain"*, Edward Young, (http://home.bip.net/azadi/quotes.htm)
33. Adaptación de un discurso pronunciado por Robertson McQuilken durante la Reunión Anual de Diciembre, 1996, LifeWay Christian Resources, Usado con permiso.
34. Adaptación de *God's Little Devotional Book,* Tulsa, Oklahoma, Honor Books, Inc., 1995, Usado con permiso.
35. Obra citada.
36. *Four in the Morning* por Sy Safransky, New York, Bantan Doubleday Dell, 1993.
37. The Adequate Man, Paul S. Ress, London, Marshall Pickering, a division of Harper Collings, 1958.
38. *The High Calling*, J. H. Jowett, New York, Revell, 1909.
39. *The Communicator's Commentary*, 1, 2, 3, John; Revelation, Earl F. Palmer, Waco, Texas, Word Books Publishers, 1982.
40. Adaptación de *God's Little Devotional Book,* Tulsa, Oklahoma, Honor Books, Inc., 1995, Usado con permiso.
41. The Rose About It, Bob Considine, Copyright © 1997 de Millie Considine, Usado con permiso de Doubleday, a division of Random House Inc.
42. Ralph Hodge, Obra citada.
43. Notas de Roy Edgemon, Director del Grupo de Discipulado y Familia, LifeWay Church Resources, a division of LifeWay Christian Resources, Usado con permiso.
44. Notas a Clint Kelly, Talmage Wilson, Usado con permiso.
45. "Sing a little Lauder", Penny Lea, en *Journal of The American Society for Church Growth*, Gary L. McIntosh, ed., La Mirada, California, 1997.
46. Origen desconocido.
47. Ralph Hodge, Obra citada
48. *Practicing His Presence*, Brother Lawrence & Frank Laubach, 1973, New Readers Press, U.S. Publishing Division of Laubach Literacy, Usado con permiso.
49. Brother Lawrence & Frank Laubach, Obra citada.

Como dirigir el estudio de Metamorfosis

La Guía para el líder, que ofrecemos en las páginas siguientes, incluye:
- Ideas para el líder de grupo
- Planes para reuniones semanales del grupo (pp. 129-142)

Lea cada una de las secciones antes de planificar las reuniones.

Ideas para el líder del grupo

¿Quíenes?   El estudio de Metamorfosis, es apropiado para cualquier grupo de discipulado, célula o para el discipulado individual. Es un estudio beneficioso para los creyentes adultos de todas las edades.

¿Cuándo?   Reúnanse en un horario y lugar apropiado para su grupo. Los encuentros pueden tener una duración de 50 a 60 minutos. La guía para las sesiones que ofrecemos aquí, pretende ser solamente un marco de referencia. Usted debe determinar sus objetivos sobre la base de las necesidades del grupo.

¿Cómo?   Use la guía para las sesiones semanales. Como líder del grupo, usted necesita:
- Orar por cada integrante del grupo.
- Completar y preparar el material de la semana.
- Estimular a cada integrante del grupo.
- Comunicarse con los que faltan a una sesión.

Que Dios le bendiga, al permitir que Él lo dirija.

Sesión uno
Introducción

La primera sesión del grupo es una ocasión para repartir los libros, hacer un resumen del propósito del material y explicar la modalidad del encuentro semanal. Aproveche las sugerencias siguientes.

1. Comience a tiempo, como una manera de demostrar su compromiso con el grupo y el mensaje. A medida que los participantes vayan llegando, entregue a cada uno un ejemplar del libro.

2. Comience con una oración pidiendo la guía del Señor. Luego, lea el fragmento de la carta de Pablo a los Romanos (Ro 12.1-2), que se encuentra en la página 7.

3. Pida al grupo que contribuya con ejemplos de la manera en que uno puede ofrecerse como sacrificio vivo, santo y agradable a Dios. Tome en cuenta todas las respuestas como aportes al debate. Comente el ejemplo del primer párrafo de la página 9.

4. Pida a los participantes que abran sus libros en la página 7 y que sigan silenciosamente mientras usted lee en voz alta la segunda mitad del pasaje de Romanos.

5. Dígales que Dios nos conoce porque conoce nuestro corazón y que nosotros conocemos a Dios cuando conocemos el corazón de Él. Conocer a Jesús es conocer el corazón de Dios. El anhelo de Dios es que los creyentes sean transformados a la semejanza de Jesús. El objetivo del presente estudio y de nuestro grupo es captar la necesidad que tiene cada persona, de experimentar una relación íntima y personal con Jesús, que cambia los corazones de los creyentes y los transforma en personas nuevas.

6. Invite a cada participante del grupo a comprometerse a leer cada estudio diario y completar los ejercicios. Señale que el énfasis de la semana uno es una consideración sumamente práctica de lo que significa conocer a Dios a través de Jesucristo.

7. Explique al grupo que uno de los mayores beneficios de hacer este estudio juntos es llegar a conocer mejor a sus hermanos y hermanas en Cristo. Pida a cada uno que diga brevemente quién es, una razón por la cual vino a esta sesión y una expectativa que tiene con respecto al estudio.

8. Pida a los participantes que lean al unísono la definición de transformación espiritual, impresa en la página 10. Luego, invite al grupo a compartir opiniones acerca de lo que esa definición implica para sus vidas. Escriba la definición en un papel grande que pueda colgar sobre la pared o el pizarrón cada semana.

9. Cierre la sesión con una oración. Quédese unos momentos en el lugar y aproveche la oportunidad para conocer mejor a los participantes y para responder alguna pregunta.

Sesión dos
Semana 1: El corazón de su fe

1. Comience a tiempo. Brinde una cálida bienvenida a los participantes a medida que lleguen. Si no se conocen bien unos a otros, prepare tarjetas de identificación para la primera sesión. Tenga las tarjetas en un lugar fácilmente accesible para los que van llegando, de manera que puedan encontrar la suya y luego sentarse, causando así las mínimas molestias tanto al grupo como a ellos mismos.

2. Pida al grupo que se siente, para realizar una experiencia. Pídales que cierren los ojos, y diga: "Supongamos que yo les pidiera que, con los ojos cerrados, buscaran dentro de esta habitación una marca que yo hice en el piso; seguramente les costaría bastante encontrarla. Podrían hacer muchas conjeturas y esforzarse mucho, pero si no pusieran fin a su ceguera, nunca encontrarían mi marca. Es probable que a veces hayan sentido que andaban a tientas como ciegos buscando a Dios. Pero así como la visión hace desaparecer el obstáculo que les impide encontrar mi marca, solamente Jesús puede quitar el obstáculo del pecado que nos impide conocer a Dios. Andar buscando en cualquier dirección, tropezando en la oscuridad, no hace otra cosa que impedir que uno descubra lo que significa conocer a Dios". Recuérdeles la frase que está en el margen de la página 11: "Toda barrera entre usted y la posibilidad de conocer a Dios ha sido quitada".

3. Mientras el grupo continúa con los ojos cerrados, pídales que se pregunten a sí mismos: "¿He llegado a ese punto en mi vida donde verdaderamente me doy cuenta de que Jesús es la única manera de quitar la barrera de pecado que hay entre Dios y yo?" Guarde silencio durante todo un minuto y luego pida a los participantes que se junten de a dos o tres (que

nadie quede solo) y que describan unos a otros lo que se siente al ser perdonado. Recuérdeles la oración impresa en la página 13. Quizás quieran repasarla mientras hacen memoria del perdón que recibieron cuando se acercaron a Cristo pidiendo ese perdón. Conceda dos o tres minutos. Avíseles un minuto antes de cerrar ese tiempo.

4. Presente un resumen, diciendo: "El punto fundamental de nuestra fe es que Dios nos salvó enviando a su Hijo Jesús a morir por nuestros pecados para que pudiésemos relacionarnos con Dios. La relación con Dios trae como resultado una transformación milagrosa que cambia nuestro carácter, nuestra naturaleza y nuestras perspectivas. Su amor nos cambia, cuando permitimos que Él quite la barrera de pecado y que viva a través de nosotros. La Biblia dice que conocer a Jesús es conocer a Dios (Col 1.15-23)". Lea en voz alta "Lo principal," en la página 22: "Dios borró su pasado y le dio la libertad y el poder para ser todo lo que Él quiere que usted sea". Pregunte a los participantes, ¿qué influencia tiene el contenido de esta afirmación en sus vidas?

5. Diga al grupo lo que Pablo sabía acerca de Dios cuando perseguía a los cristianos. Después, Pablo tuvo un encuentro con Jesús y llegó a conocer a Dios. ¿Cuál es la diferencia ahora en su vida, desde que conoce a Dios en lugar de saber acerca de Dios? Comente con el que está a su lado la respuesta a esta pregunta.

6. Recuerde al grupo, que es vital para nuestra relación con Dios, pedirle a Él que quite todo lo que pudiera impedirle cambiarnos de adentro hacia fuera. Pregunte: ¿Cuáles son algunas de las cosas que podrían asustarnos de conocer a Dios más íntimamente? Permita que el grupo responda. El silencio no siempre indica que es tiempo de seguir adelante. Si transcurre más de un minuto esté preparado para abrir el debate con un breve ejemplo de algún temor que alguien pudiera tener de, por ejemplo, acercarse a otro. Luego pregunte: ¿Cómo podría aplicarse eso a conocer a Dios más íntimamente?

7. Lea "Lo principal", en la página 28: "Los cristianos albergan en sus corazones una visión de certeza y esperanza, que aquellos que no tienen a Cristo nunca podrán conocer". Pida a los integrantes del grupo que recuerden cuándo y cómo llegaron a conocer a Jesús. Practicando la manera de contar a otro, en un par de minutos, cómo comenzó su nueva vida en Cristo es una manera en que los creyentes pueden obedecer a Jesús siendo sus testigos. Forme nuevamente los pequeños grupos y hágales compartir sus experiencias en uno o dos minutos.

8. Lleve la atención del grupo a la sección "Y para terminar..." que aparece al final del capítulo de esta semana. Pida que comenten sus respuestas a lo más importante que Dios les enseñó a través de todo el estudio de esta semana y a la acción que Él quiere verles realizar. Agregue los comentarios de cada uno acerca de lo que Dios les enseñó, a una lista de verdades escrita en un papel grande o en la pizarra que pueda actualizarse cada semana con los aportes de los integrantes del grupo. Llame la atención a la definición de 'transformación espiritual' en el cartel.

9. Concluya el encuentro con una oración de gratitud a Dios por cada uno de los que han participado en el estudio durante esta semana.

Sesión tres

Semana 2: Su corazón transformado

1. Comience a tiempo. Para resaltar el contraste entre las actividades externas y el descuido de la transformación interior piense en la posibilidad de ambientar el lugar con música de ejercicios aeróbicos en el momento en que vayan llegando los participantes.

2. Señale el hecho de que más allá de ser embarcaciones enormes y lujosas, algunos yates son ejemplos hermosos y refinados de la capacidad de diseño de sus constructores. Repase brevemente el trágico caso de Michael Plant cuyo yate, que respondía a las técnicas más modernas de diseño y construcción, dio una vuelta de campana cuando perdió su contrapeso de quilla y no pudo mantener su equilibrio en el agua. Por más hermosa que era la embarcación, flotando invertida, no podía cumplir con su propósito; ni siquiera podía llevar a su capitán. Pida al grupo que reflexione acerca de la manera en que sus 'quillas espirituales' pueden mantener sus vidas en equilibrio.

3. Señale al grupo, cómo solamente Dios puede tomar nuestros corazones perdonados, cambiados para siempre y transformar todo nuestro ser a la semejanza de Cristo. Pida al grupo que escuche mientras usted lee la cita de la página 33: "Existe el peligro de prestar atención a las actividades externas de la vida espiritual, mientras descuidamos la transformación interna del corazón que se produce como resultado de una relación íntima con Jesús". Debatan sobre lo que el grupo entiende como las consecuencias de descuidar la transformación interior que es el resultado de una íntima relación con Jesús.

4. Pida al grupo que comente maneras en que algunos han decidido eliminar ciertas actividades de su agenda, a fin de estar disponibles para la actividad del Espíritu Santo en sus vidas.

5. Pídales que hagan una lista de las maneras en que ellos pueden verse animados o pueden animar a otros integrantes del grupo a realizar los sacrificios necesarios y a no ofrecer resistencia a lo que Dios quiere hacer en sus vidas.

6. Pregunte al grupo de qué manera, al rendir sus vidas a Dios, experimentaron algún cambio en la forma en que viven las experiencias detalladas en las páginas 37 y 38.

7. Diga al grupo: "Jesús dijo: 'Si ustedes verdaderamente me conocieran, conocerían a mi Padre también'". ¿Qué está haciendo Jesús en su vida que permite a otros conocerlo o al menos saber más acerca de Él?"

8. En la página 39 se dice que el amor es el mandato fundamental de la Biblia. Recuerde al grupo que cuando la Biblia nos manda amar, no se está refiriendo al amor que podemos dispensar con "facilidad" a los niños educados, a los buenos amigos y a nuestros esposos o esposas. El mandato es amar a quienes nos desprecien. Este es el amor ágape, incondicional de Dios.

9. Comente la respuesta de Jesús a los que lo juzgaron y crucificaron y por qué Él moría para salvarlos a ellos también. ¿Qué significa eso para los seguidores de Jesús hoy? La respuesta de Jesús ilustró la relación de amor, confianza y obediencia que Él tenía con el Padre.

10. Explique al grupo que amar verdaderamente a Jesús significa comprometerse a confiar en Él. Para amar a las personas que nos resulta difícil amar, necesitamos confiar en el amor de Jesús por ellas. Para el ejercicio de la página 43 forme parejas que compartan sus respuestas acerca de la confianza.

11. En la página 46, II Corintios 3.18, se aplica de esta manera: "El propósito total de Dios, es el de llamar a la comunión con Él a personas nacidas del Espíritu..., personas que vivan la vida movidas por el amor, la confianza y la obediencia y para quienes el gozo mayor es glorificar a Dios". Pregunte cuáles son algunas de las maneras en que este grupo cree que la gloria de Dios se está reflejando en nosotros. Intercambien opiniones.

12. Llame la atención a la sección 'Y para terminar...' en la página 48. Pida a los participantes que comenten sus respuestas sobre lo más importante que Dios les enseñó a través del estudio de esta semana y a la acción que Dios quiere que lleven a cabo. Agregue los comentarios del grupo acerca de lo que Dios les enseñó, a la lista de verdades que comenzaron a llevar después del estudio de la Semana 1. Termine con oración.

Sesión cuatro
Semana 3: Fortaleza para su corazón

1. Reciba a cada participante con una pequeña bola de arcilla o pasta de modelar. Pídales que transformen su arcilla en algo y que coloquen sus creaciones sobre algunas hojas de periódico desplegadas.

2. Comience a tiempo. Cite de la página 49: "Una gran parte de las dificultades en su vida pueden ser propias de la vida en este mundo imperfecto. No obstante, el efecto de ellas –de transformarle a la semejanza de Jesús–, es una obra del Espíritu Santo". Pregunte: "¿Qué cosas en la vida les prepararon para modelar su arcilla (las cosas que vieron, tocaron o experimentaron antes)? ¿Qué usaron para modelar su arcilla?" Recuerde al grupo que Dios usa diversas herramientas para llevar a cabo la transformación espiritual en nuestras vidas.

3. Señale que la Palabra de Dios es una fuente de poder transformador. Pida al grupo que busque los pasajes de las Escrituras que están en las páginas 50 y 51. Al leer y meditar en cada uno, pídales que consideren el poder transformador en cada versículo y cuál es el impacto que tiene sobre sus vidas. Después de unos momentos rompa el silencio leyendo la letra de la canción "Donde el silencio se quiebra" en las páginas 51 y 52. Comenten en grupo lo que significa ser "tan débil que necesite escuchar y lo suficientemente fuerte para esperar".

4. Forme grupos de dos participantes cada uno y pídales que lean, uno al otro, sus respuestas a la actividad de "Sabiduría de las generaciones" en la página 54. Pida a las parejas que terminen orando juntos por victoria sobre cualquier forma de resistencia a la sabiduría divina que hayan podido descubrir.

5. Pida al grupo que comenten sus reacciones individuales al relato de Nu'u, el iracundo adolescente, que se encontró con Cristo a través de una persona que le mostró el amor de Él (pp. 55-56). En la página 57, los participantes identificaron a dos personas en la congregación, a las cuales Dios usó para "afilar su fe y prepararle para el ministerio". Invite al grupo a cambiar impresiones de sus respuestas.

6. Lleve al grupo a recordar el párrafo de la página 59 dónde dice que "la ejercitación de las disciplinas espirituales" son los recursos a través de los cuales "Dios le fortalece para una mayor confianza y obediencia a Él en cada aspecto de su vida". Pregunte cuáles fueron algunas de sus respuestas al ejercicio de la página 60, donde se pregunta sobre los ejercicios espirituales que Dios está usando en este momento para modelar a cada uno de ellos. Después de un tiempo para intercambiar respuestas y opiniones, resuma diciendo que de todo aquello en lo cual estemos participando a fin de fortalecernos espiritualmente, la santidad es una acción de Dios (He 2.11).

7. Continúe el debate pidiendo al grupo sus reacciones a lo expresado en "Lo principal", en la página 61: "Los ejercicios espirituales no son el barómetro de la espiritualidad, son el medio a través del cual usted pone su vida delante de Dios como una ofrenda para que Él pueda crear santidad en usted". Después de leer esta definición en voz alta, pida sus comentarios al grupo.

8. Pregunte qué nuevas oportunidades de crecimiento tienen hoy que no tenían (o no reconocían) hace dos años. Intercambien opiniones. Pregunte cuál de las disciplinas "enlatadas" (p. 61) creen que Dios les está guiando a poner en práctica. Anime al grupo a pensar en otras disciplinas.

9. Repase la sección "Un momento con el Señor", en la página 65. Pida al grupo que comente sobre los cinco factores señalados para desarrollar una relación más profunda con Dios.

10. Llame la atención a la sección "Y para terminar...", al final del capítulo correspondiente a esta semana. Pida al grupo que lean sus respuestas a lo más importante que Dios les enseñó a través del estudio de esta semana y a la acción que Dios quiere que lleven a cabo. Agregue los comentarios del grupo acerca de lo que Dios les enseñó, a la lista de verdades que comenzaron a llevar después del estudio de la Semana 1 y la semana 2. Termine con una oración.

Sesión cinco
Semana 4: Su corazón visible

1. Salude a cada integrante del grupo destacando algo en su carácter que refleje la presencia de Cristo. Algo así como por ejemplo: "Javier, tu fe en el Señor siempre me inspira". "Ana, creo que todos se dan cuenta de que tienes la paz del Señor en tu corazón".

2. Comience a tiempo. Muestre una flor fresca de buen aspecto, una planta vigorosa y una fruta o verdura madura y atractiva. Diga: "Puedo disfrutar de este ejemplo de la creación de Dios. ¿Pero quién diría, al observarlo, que los residuos y aun la basura cooperaron para hacerlo tan hermoso? Las hojas muertas y la hierba seca, las cáscaras de verduras y frutas, las cáscaras de huevo y hasta el estiércol pueden enriquecer de tal modo la tierra que la consecuencia natural es producir estos ejemplos de lo que el Creador hizo para nosotros. Una planta no tiene la capacidad para confiar que cuando alguien pone basura y residuos a su alrededor crecerá más vigorosa. Sin embargo, en nuestras vidas, la confianza en Dios es lo que hace la diferencia cuando estamos frente a lo que podría parecernos basura. Cuando confiamos en Dios, otros observan y reciben esperanza a partir del amor de Dios que ven en nosotros".

3. Pida al grupo que abran sus libros en la sección "Esta es su vida: Más allá de las imperfecciones", en la página 71. Pida a los participantes que formen grupos de a dos y reporten sus descripciones de algo que siempre soñaron hacer.

4. Recuerde al grupo que las decisiones que tomamos tienen efecto sobre nuestra relación con Jesús. Pida al grupo que reflexione sobre las decisiones que cada uno tomó durante la semana que pasó y que permitieron que Dios alumbrara a través de sus vidas. Luego pídales que informen a su compañero o compañera.

5. Según Juan 17.11, Jesús quiere la unidad en el cuerpo. Las críticas y las disputas no ayudan a una congregación en la búsqueda para ser uno en el Espíritu. Abra su Biblia y lea al grupo, en voz alta, Juan 17.11.

6. Pida las opiniones de ellos acerca de la manera en que una congregación puede llegar, en forma conjunta, a descubrir y vivir el concepto de Jesús sobre la unidad de la iglesia. Pida al grupo que elabore una lista de

las maneras en que Dios es glorificado en una congregación cuando el amor se impone a las características humanas de la envidia, los celos, la frustración y el egoísmo.

7. Diga a los participantes: "Dios nos hizo únicos. Cuando nos reunimos como cuerpo de Cristo, aunque compartimos el Espíritu Santo con el resto del cuerpo, habrá una diversidad que glorifica a Dios. Considere a nuestro pequeño grupo. ¿Cuáles son algunos de los aspectos singulares de esta porción del cuerpo de Cristo? ¿Cómo podría Dios usar para sus propósitos esta combinación tan particular?" Intercambien opiniones.

8. En la sección "Esta es su vida: Exprésese" (p. 82), hay dos preguntas acerca de lo que impide que seamos lo que Dios nos creó para ser. Forme grupos de dos o tres participantes para cambiar opiniones sobre sus respectivos puntos de vista sobre estas preguntas.

9. Lleve la atención a la sección "Y para terminar...", en la página 84. Pida al grupo que intercambien opiniones sobre sus respuestas a lo más importante que Dios les enseñó a través del estudio de esta semana y a la acción que Dios quiere que lleven a cabo. Agregue los comentarios del grupo acerca de lo que Dios les enseñó, a la lista de verdades que vienen elaborando desde las sesiones anteriores.

10. Al final de la Semana 4 en la página 83, de este libro, la sección "Un momento con el Señor" termina con el pensamiento: "En mi corazón hay lugar de sobra para ti". Finalice la sesión con una oración conversacional teniendo como tema central la rendición de las actitudes de estar centrados en sí mismos.

Sesión seis
Semana 5: Los enemigos de su corazón

1. Antes de la sesión prepare una lista de voluntarios para leer en voz alta la ilustración con que comienza el Día cuatro, en la página 96, acerca de Marta, María y Jesús.

2. A medida que vayan llegando los participantes, obsequie a cada uno con un paquete de caramelos redondos. Dígales que ese caramelo tiene el propósito de recordarles que Jesús es el salvavidas. Siempre está con nosotros.

3. Comience a tiempo. Recuerde al grupo el relato de Robertson Mc-Quilkin, de la página 85. Comience reconociendo a Dios por guardar la paz en las vidas de ustedes o por librarlos de los matones espirituales. Invite a comentar testimonios de ello.

4. Concluya citando el párrafo de la página 85: "su Padre Celestial está siempre a su lado. Su Espíritu Santo lo levanta cuando está decaído, lo guía cuando está desorientado, lo advierte cuando es tentado, lo restaura cuando cae, ríe con usted cuando las cosas van bien y llora con usted cuando las cosas van mal".

5. Diga al grupo que lo opuesto de estar centrado en uno mismo es estar centrado en Dios. Anime a los participantes para que alguno del grupo aporte un ejemplo de la diferencia. Pregunte al grupo si han tenido la oportunidad de pensar en la diferencia entre ser egoísta y ser un servidor. Invítelos a formar parejas para darse ejemplos mutuamente de un momento de siervo y un momento de egoísta que cada uno haya tenido recientemente. Pídales que expresen a sus compañeros cómo podrían haber sido diferentes las cosas si hubiesen encarado la vida con un corazón de servidor.

6. Lea en voz alta I Juan 5.4: *"Porque todo lo que es nacido de Dios vence al mundo; y esta es la victoria que ha vencido al mundo, nuestra fe"*. Diga al grupo que Satanás quisiera vernos viviendo bajo el engaño de que cuando las circunstancias parecen desfavorables es que Dios no está con nosotros. La Palabra de Dios dice lo contrario. Llame la atención del grupo a la tarea de la página 91. Cambien opiniones sobre las actitudes de los participantes, cuando la gracia de Dios les libró o solucionó problemas. Lea nuevamente en voz alta el pasaje de I Juan 5.4, a manera de resumen del debate.

7. Señale que las Escrituras contienen el mensaje de Dios y las instrucciones para nosotros. Para reforzar el concepto de nuestra necesidad de la Palabra de Dios, pida al grupo que abran sus libros en la sección "Esta es su vida", en la página 92. Pídales que informen cualquier pensamiento que haya surgido como resultado del ejercicio. Cambien opiniones.
8. Durante el transcurso de la sesión pida al grupo que escuche con los ojos cerrados mientras el voluntario lee la ilustración. Pida a los participantes que imaginen ser Marta. Señale que las distracciones pueden apartar nuestros corazones de la gracia y la misericordia para caer en una actitud de auto-justificación legalista.

9. Menciónele al grupo que aun cuando Jesús ya ganó de manera categórica, la victoria sobre todos los ataques de Satanás contra los creyentes, las amenazas todavía pueden perturbarnos. Pida al grupo que hablen sobre aquellas cosas que parecieran ser las peores amenazas que deben enfrentar los creyentes.

10. Dígale al grupo que Dios puso sus fuerzas a nuestra disposición, a través de Cristo Jesús. Pídale al grupo que encuentren el pasaje de Efesios 6.10-18, que aparece en el margen de las páginas 98-99. Que lea cada uno silenciosamente los versículos, subrayando todas las expresiones de acción que encuentren, como puede ser "fortaleceos", "vestíos", etc. Repase el pasaje con el grupo verificando las palabras que subrayaron. Pídales que cambien opiniones con respecto a la manera en que el meditar en este pasaje todas las mañanas, podría ayudarles a prepararse para vivir el día sirviendo a Cristo.

11. Llame la atención a la sección "Y para terminar...", en la página 101. Pida al grupo que cambien opiniones sobre sus respuestas a lo más importante que Dios les enseñó a través del estudio de esta semana y a la acción que Dios quiere que lleven a cabo. Agregue los comentarios del grupo acerca de lo que Dios les enseñó, a la lista de verdades que vienen elaborando desde las sesiones anteriores.

12. Para terminar la sesión invítelos a tomarse de las manos y ore por la paz y la confianza de ellos mientras descansan en las promesas de Jesús.

Sesión siete

Semana 6: Un llamado con un sentido de urgencia

1. Antes de la sesión prepare hojas de papel en blanco u otro medio para escribir que sea visible para todo el grupo.

2. A medida que lleguen los participantes, salude a cada uno colocándole una bolita de algodón en la mano. Diga: "Esto casi no pesa nada. Podría caer sobre alguno de ustedes y ni siquiera se daría cuenta. Algunas de estas bolitas son el producto natural de la planta de algodón. Otros son sintéticos. De una u otra manera, estos pompones no nos dan muchas señales que nos permitan distinguir si vienen de un campo como produc-

to de una planta o si vienen de una fábrica de productos químicos o derivados del petróleo".

"Cada uno de nosotros tenemos algo en común con estos pompones de fibra. Al igual que la bebé Ngo Thi Lam (pp. 103-104), lo que otros ven o lo que parecemos ser puede ofrecer pocas pistas acerca de dónde hemos estado y del dolor que hemos sufrido. Aquellos que lloran en silencio son el resultado de un dolor y una soledad tan grande que la esperanza de que alguien se interese por ellos ha desaparecido por completo. Solamente el amor de Dios puede rescatar a los que lloran en silencio. Usted y yo debemos interesarnos porque nuestros nuevos corazones son depositarios de la respuesta de Jesús a un mundo sumido en el dolor. No podemos rescatarlos, pero podemos llevarlos a Aquel que nos rescató a nosotros. Podemos amarlos porque Dios nos ama a nosotros".

3. Señale al grupo, que en momentos de crisis, la gente se escandalizaría si los obreros de rescate o los paramédicos se detuvieran a hojear una revista o se fueran a dormir una siesta antes de ayudar a las víctimas. Los obreros podrían explicar que necesitaban informarse leyendo un artículo sobre emergencias o que sabían que tendrían más fuerzas si descansaban un rato. Pero cuando la necesidad es urgente, estas razones se vuelven excusas.

Pida al grupo que mencione aquellas excusas que dicen los que no quieren comprometerse de una manera total a compartir el amor de Jesús. Anote las respuestas para que todos las tengan presentes y se puedan volver a leer. Recuérdeles que las excusas pueden ser como un envoltorio de polietileno transparente que permite ver lo que se guarda, pero impide tener contacto con eso que está adentro. Pida a una persona que ore representando al grupo, pidiendo el perdón de Dios por permitir que excusas endebles nos impidan demostrar el amor y la urgencia de Cristo por el mundo.

4. Diga: "Un corazón perdonado conduce a una vida transformada. Una vida transformada y que está siendo transformada por Jesús da testimonio de la presencia de Él, obedeciéndolo". Lean juntos las palabras de la Gran Comisión (Mt. 28.19-20, p.106). Destaque los mandatos a ir, hacer discípulos, bautizarlos y enseñarles. Guíe al grupo en una meditación en oración, guiándolos a orar por alguna persona a la que necesitan llevar a Cristo, alguien a quien pueden ayudar a crecer en Cristo, alguien por quien pueden "quitarse el envoltorio" del testimonio y alimentarle la verdad del amor de Dios; y que den gracias a Dios por aquellos que de una u otra manera se sacrificaron para hacer esto por ellos.

5. Pida al grupo que intercambien experiencias de situaciones o tareas imposibles que tuvieron que enfrentar. Pregúnteles acerca del poder de Dios para hacer lo que para nosotros es imposible. Exponga el testimonio de los

Worten (p. 108). Invite además a expresar testimonios de victoria en el poder de Dios.

Señale la verdad del Salmo 46.1 (p. 109). Repita usted primeramente el versículo y luego guíe al grupo a repetirlo todos juntos. Termine con un "¡Amén!"

6. Recuerde al grupo que cuando ellos le entregaron sus vidas a Cristo, "algo" dentro de ellos no pudo resistir el amor y la verdad de Dios y tuvo que rendirse. Ese algo era Dios llamándolos a venir a Él. Diga: "Si creemos que es nuestra responsabilidad convencer a las personas para que vengan a Jesús, estamos limitados a una forma totalmente humana de ver y entender la salvación. Dios ya está obrando, yendo delante de nosotros (Jn. 6.44). Él nos invita a celebrar nuestra libertad, observando cómo hace libres a otros". Lea en voz alta Juan 8.32: *"Y conoceréis la verdad y la verdad os hará libres".*

7. De la sección "Y para terminar...", repase la lista de respuestas que han ido preparando en el transcurso del estudio (pp. 31, 48, 66, 84 y 101). Señale que las verdades que ellos descubrieron y lo que Dios quiere que hagan son parte de la transformación que Dios está operando en sus vidas. Pida al grupo que cambien opiniones sobre las diferencias que han observado en sus vidas o en su manera de pensar durante estas últimas semanas.

Recuérdeles que es la transformación espiritual interna de los creyentes lo que les permitirá ver al mundo a través de la óptica de las Escrituras. El testimonio de vidas cambiadas es lo que llevará a la gente del mundo a mirar al Señor y les mostrará lo que está faltando en sus vidas.

8. Traiga a la memoria del grupo la carta que cada uno escribió durante la semana (p. 118). Permita que cada uno medite en esa carta. Recuérdeles el deseo de Frank Laubeck por estar en una permanente conversación interior con Dios, de su disposición de hacer la voluntad de Dios y de su pasión por ser obediente a Dios.

9. Para terminar, guíe al grupo en un tiempo de oración. Diga: "Ustedes son la carta de amor de Dios al mundo. Pídanle a Dios que les muestre exactamente qué están diciendo sus vidas a otros en este momento". Haga una pausa y luego continúe: "¿Cuántos de ustedes son conscientes de que pueden llevar esperanza a esas personas al presentarles a Jesús?" Haga una nueva pausa y luego continúe: "Reconsagre su corazón a Dios y a ese propósito especial que Él tiene para su vida". Haga una pausa y termine leyendo el último párrafo de la página 122: "Una palabra de los autores".

PLAN DE ESTUDIO
DE CRECIMIENTO
CRISTIANO

Preparar a los Cristianos para Servir

En el **Plan de Estudio de Crecimiento Cristiano (anteriormente el Curso de Estudio de la Iglesia)**, *Metamorfosis* es el libro de texto en el área de Crecimiento espritual en el diploma de la categoría de desarrollo cristiano. Para recibir crédito, lea el libro, complete las actividades de aprendizaje, enseñe el trabajo realizado al pastor, o un miembro del personal o líder de la iglesia, y luego complete la siguiente información. Puede reproducir esta página. Después de completar la información, envíela a:

Plan de Estudio de Crecimiento Cristiano
127 ninth Avenue, North, MSN 117
Nashville, TN 37234-0117
FAX: (615) 251-5067

El catálogo anual del Plan de Estudio de Crecimiento Cristiano ofrece información acerca del plan de estudio. Quizás la oficina de la iglesia tenga uno. Si no lo tiene, pida un ejemplar gratis a la oficina del Plan de Estudio de Crecimiento Cristiano (615/251-2525).

Metamorfosis
COURSE NUMBER: CG-0540

INFORMACIÓN DEL SOLICITANTE

Rev. 6-99

NO. DEL SEGURO SOCIAL

NO. PERSONAL DEL PECC*

FECHA DE NACIMIENTO

NOMBRE: PRIMERO, SEGUNDO Y APELLIDO
❏ SR. ❏ SRTA.
❏ SRA. ❏

TELÉFONO

DIRECCIÓN (CALLE, RUTA O NO. DEL APARTADO POSTAL)

CIUDAD, ESTADO

CÓDIGO POSTAL

INFORMACIÓN DE LA IGLESIA

NOMBRE DE LA IGLESIA

DIRECCIÓN (CALLE, RUTA, O NO. DEL APARTADO POSTAL)

CIUDAD, ESTADO

CÓDIGO POSTAL

SÓLO PARA SOLICITAR CAMBIOS

❏ANTIGUO NOMBRE

❏DIRECCIÓN ANTERIOR (CALLE, RUTA O NO. DEL APARTADO POSTAL)

CIUDAD, ESTADO

CÓDIGO POSTAL

❏IGLESIA ANTERIOR

CIUDAD, ESTADO

CÓDIGO POSTAL

FIRMA DEL PASTOR, MAESTRO U OTRO LÍDER DE LA IGLESIA

FECHA

*Se pide que los nuevos solicitantes den su número del SS, pero no se requiere. Los participantes que ya han hecho estudios anteriores, por favor den su número del Plan de estudio de crecimiento cristiano (PECC) cuando estén usando el número del SS por primera vez. Después sólo se requerirá un número de identificación (ID).